现场急救行动指南
（第二版）

现场急救科普工作室 编著

海南出版社
·海口·

图书在版编目（CIP）数据

现场急救行动指南：第二版 / 付杰主编；现场急救科普工作室编著. -- 海口：海南出版社，2022.6（2025.1重印）.
ISBN 978-7-5730-0593-9

Ⅰ.①现… Ⅱ.①付… ②现… Ⅲ.①急救-指南
Ⅳ.①R459.7-62

中国版本图书馆CIP数据核字（2022）第107134号

现场急救行动指南（第二版）

XIANCHANG JIJIU XINGDONG ZHINAN（DI-ER BAN）

现场急救科普工作室 编著
主　　编：付　杰
责任编辑：许　颖
插图绘画：黄争志
版面设计：周永天
印刷装订：北京兰星球彩色印刷有限公司
出版发行：海南出版社
地　　址：海口市金盘开发区建设三横路2号
邮　　编：570216
读者服务：许　颖
电　　话：0898-66822109
开　　本：880 mm × 1 230 mm　1/16
字　　数：260千字
印　　张：13
版　　次：2022年6月第1版
印　　次：2025年1月第2次印刷
书　　号：ISBN 978-7-5730-0593-9
定　　价：86.00元

参与编撰单位

（排名不分先后）

重庆市急救医疗中心
郑州市紧急医疗救援中心
武汉市急救中心
北京急救中心
银川市紧急救援中心
大连市急救中心
厦门市医疗急救中心
四川省医院协会
石家庄市急救中心
长沙市120急救中心
成都市急救指挥中心
韶关市应急救护指挥中心
赣州市医疗急救中心
无锡市急救中心
葫芦岛市急救中心
宁波市急救中心
新余市紧急救援中心
凉山州紧急救援中心
海口美兰国际机场急救中心
雅安市紧急救援中心
甘肃省紧急医疗救援中心
天津市急救中心
济南市急救中心
青海省人民医院
长春急救中心
乌鲁木齐市急救中心
贵阳市急救中心
合肥急救中心
太原市急救中心
南昌急救中心
四川省人民医院
吉林市急救中心
九江市紧急救援中心
汕头市120急救指挥中心
安顺市紧急救援中心
上海市闵行区医疗急救中心
镇江市急救中心
锦州市紧急医疗救援中心
宜兴市急救中心
马鞍山市紧急救援中心
南宁急救医疗中心
沈阳急救中心
上海市医疗急救中心
海口市120急救中心
哈尔滨市急救中心
浙江省杭州市急救中心
深圳市急救中心
云南省急救中心
青岛市急救中心
南京市急救中心
海南医学院第一附属医院
无锡市急救协会
北京市朝阳区紧急医疗救援中心
湛江市120紧急医疗救援指挥中心
南阳市120急救指挥中心
宜春市紧急救援中心
鞍山市紧急救援中心
海口市第三人民医院
晋江市120急救指挥中心
普洱市紧急救援中心

编写指导委员会

编写委员会

主　编：付　杰

副主编：朱　虹　钱兴才　王秀玲

编　者：丁方勇　万毓华　王小刚　王秀玲　王雪娇　王雪梅
王　琢　王　雁　尹婉娜　尹艳萍　孔令兴　邓双昌
邓秀嫔　卢　欢　田建广　冯燕玲　李　可　李　冰
李　岚　李丽萍　李　虹　李　彬　李雪梅　李　想
李　樱　刘东虎　刘叶辉　刘科宇　刘　梅　安彦君
乔　毅　张　宁　张丽霞　张晓凡　张莉萍　张　猛
张彩云　杜晓明　吴　敏　吴淑虹　邹菊华　严智勇
周　冰　岳　望　林赛莲　费夕丰　胡承志　姜　楠
徐梅玲　徐暐杰　唐　峰　高　翼　黄公澍　黄东华
黄　来　章晓红　龚海军　盛雪立　曾文君　鲁纪宇
鲁美丽　黄　珂　戚苏平　曹利田　董　荔　蒋　超
谢　雯　谢懂宇　裴小敏　熊　星　燕重远　欧阳洁淼

序

目前，中国每年有超过54万人出现心脏性猝死，相当于大约每1分钟就有人因为心脏骤停而突然倒下。在发达国家，心脏骤停患者的总体抢救成功率为5%～15%，个别先进的地方甚至超过50%。在我国，心脏骤停患者的抢救成功率仅1%，心肺复苏术普及率也只有1%。而这只是我国急救知识普及面临的严峻挑战的一个方面。对于常见急症的识别与急救、创伤救护、灾难的自救互救等人人都应当掌握的知识，人们同样知之甚少。

中国特色社会主义进入了新时代。党的十九大提出“实施健康中国战略”，国务院印发了《国务院关于实施健康中国行动的意见》，要求实施健康知识普及行动，面向家庭和个人普及紧急救援的知识与技能，引导居民学习掌握心肺复苏等自救、互救知识技能。为此，我们必须大力开展全民急救知识普及工作，通过多角度、全方位的宣传培训，提高急救知识普及率，增加现场急救成功率，减少危急重症患者的死亡和伤残。

我国多家急救中心的急救医学培训专家合力编写的这本《现场急救行动指南》正当其时。这本书对心脏骤停、气道异物梗阻、常见急症、创伤、中毒、动物咬伤等情况下如何进行正确的现场处置，以及灾害时如何自救、互救进行了深入浅出和图文并茂的介绍，为人们了解、学习现场急救知识提供了正确、实用的参考书，也为我们开展急救知识普及培训工作提供了良好的宣传、培训资料。本书的出版发行以及伴随开展的科普行动，一定会为中国院前急救事业的发展和提升起到积极的作用。

谨为序。

中国医院协会急救中心（站）分会主任委员

北京急救中心主任

前　言

随着社会经济和物质文明的高速发展，人民生活水平不断提高，人们对于身体健康、生命安全也日益关注。世界卫生组织把健康问题定为21世纪发展的核心问题，中国也把促进全民健康上升为国家战略。为进一步推进健康中国建设，规划新的“施工图”，2019年7月，国务院印发了《国务院关于实施健康中国行动的意见》，国家层面出台了《健康中国行动（2019—2030年）》。这一中长期行动聚焦当前主要健康问题和影响因素，围绕疾病预防和健康促进两大核心，开展15个重大专项行动，努力提高人民整体健康素养水平。

日常生活中，各种急症、意外伤害和灾害经常突然发生，在家中，在路途中、在工作场所和公共场所，在你我身边。紧急情况下，我们该怎么办？是束手无策、不懂施救，还是惊慌失措、错误施救？越来越多的人意识到，只有掌握正确的自救、互救知识和技能，才能在急症及各种意外伤害突然来临时，及时、正确地采取救护措施，从而挽救生命和减轻伤残，为医务人员进一步抢救赢得宝贵的时间和机会。所以，学习正确的急救知识，掌握基本的急救技能，已经成为人们的一种生活需要，也是健康中国行动的一项重要内容。

本书编者均为多年从事急诊、院前急救工作的医务人员，以及从事急救医学培训的老师，有着十分丰富的急救知识和医学教育经验。编者从人们的实际生活需要出发，用简单易懂的语言、精心绘制的插图，较为全面地介绍了人人都应该具备的急救知识和技能，目的是让阅读者从中获得有益的急救知识与技能，在危难时刻，可以自救、互救。

本书于2020年发行第一版，受到社会大众的广泛欢迎，数次重印。同时，各位医学专家、培训导师、学员纷纷向我们反馈信息，提出宝贵建议，故我们对书中内容和知识进行了更新。

第二版的编撰过程中，编者参考了国际急救与国际复苏联络委员会、美国心脏协会、欧洲复苏委员会的最新指南，参照了国内的权威医学教材、专著、指南、专家共识和学术论文，采纳了第一版反馈回来的宝贵意见和建议，并得到了很多医学专家的帮助和支持，限于篇幅，不能一一列出，在此一并致谢。本书虽几易其稿，但难免有疏漏和错误，殷切期待读者和同仁继续批评指正。

编　者

2022年4月于海口

目　录

第一篇 现场急救总则

第二篇 现场急救流程

第三篇 心肺复苏

第四篇 自动体外除颤器的使用

第五篇 气道异物梗阻的解救方法

第六篇 常见急症急救

第七篇 创伤急救

第八篇 急性中毒急救

第九篇 动物咬伤急救

第一篇 现场急救总则

学习目标

阅读完本篇后，我们应该：

了解现场急救的一般概念

了解现场急救的目的

熟悉施救者的职责

掌握现场急救的原则

掌握急救体位的摆放

了解对施救行为的法律保障

一般概念

我国的急诊医疗服务体系由院前急救、医院急诊和危重症监护三个体系组成。

院前急救包括现场急救和送院途中的医疗救治。

现场急救，是指患者在突发急症、遇到意外伤害或者灾害时，在事发现场，施救者对患者实施的安全、及时、有效的急救措施和心理救护行为。

施救者，可以是在事发现场进行施救的任意人员。施救者可能是医务人员，可能是患者的亲友，可能是警察、消防员等公职人员，也可能是路人、急救志愿者或者救援队队员。

本书所述“现场急救知识和技能”的培训对象，主要是社会公众。

我们应该知道

急救，不仅仅是医务人员的事情，也要社会公众一起参与。

明天和意外，谁也不知道哪一个先到。

在意外发生时，每一个人都有可能成为事发现场的第一目击者。

我们能及时伸出援手，提供有效的救助，挽救生命。

只有学习科学的急救知识，掌握正确的急救技能，并且反复练习，才能够提供有效的救助。

现场急救的目的

现场急救有以下目的：

- 挽救生命。
- 阻止病情恶化。
- 避免再次损伤。
- 心理安慰。

挽救生命

一些特别危险的情况发生时，在救护车到达之前，施救者必须立即采取正确的急救措施，对患者进行救治，才能挽救生命。否则，即使救护车到达，也回天乏术。或者即使抢救成功，患者也会有严重的并发症、后遗症。

施救者必须采取正确的急救措施，才能挽救生命，例如：

- 患者心脏骤停，施救者实施心肺复苏。
- 患者气道异物梗阻，施救者实施气道异物梗阻的解救方法。
- 患者大动脉出血，施救者实施止血法。
- 患者被电击，施救者立即切断电源。

阻止病情恶化

虽然患者暂时没有生命危险，但是如果施救者采取正确的急救措施，能够有效防止伤势或者病情恶化，从而减少住院时间，降低致残率和死亡率。

施救者可以采取一些正确的急救措施来阻止病情恶化，例如：

- 患者低血糖，施救者喂食含糖的食物或饮料。
- 患者食物中毒，施救者给清醒的患者催吐。
- 患者被犬咬伤，施救者用肥皂水反复冲洗伤口。
- 患者中暑，施救者帮助患者脱离热的环境并降温。

避免再次损伤

在周围环境不安全的现场，施救者可以采取一些正确的急救措施，避免患者再次受到伤害，例如：

- 患者抽搐，施救者将周围的尖锐物体移开。
- 高速公路发生交通事故后，施救者应在150米外竖立警示牌。
- 煤气中毒现场，开窗通风，关闭燃气开关等。
- 火灾现场，施救者将患者转移至安全场所。

心理安慰

给予患者言语安慰、情感支持，指导患者放松身心、转移注意力，能够有效缓解患者的紧张情绪，有利于稳定病情。

施救者可以采取一些正确的心理救护措施，进行心理安慰，例如：

- 询问患者的感受，安慰患者，帮助患者联系亲友。
- 聆听患者的讲述，对患者的坚持和镇定表示鼓励和肯定。
- 指导患者进行腹式呼吸，缓解焦虑、紧张情绪。
- 指导患者进行渐进性肌肉放松，转移注意力。

施救者的职责

施救者应该明确自己在现场急救中的职责，在能力范围内做正确的事情。
这些职责包括：

- 检查周围环境，维护现场秩序，有效疏导交通，保证自己、患者和旁观者安全，避免再次受到伤害。
- 识别患者发生的急症，初步判断患者病情，呼叫更多人提供帮助；呼叫110、119、120，请求专业人员救援。
- 获得附近的急救资源，采集患者的病史，检查患者的身体，采取正确的方法施救。
- 陪伴在患者身边，监测其生命体征，持续观察、重点评估、照顾、护理、安慰患者，帮助联系其亲友。
- 120急救人员到达后，如实汇报施救经过，做好物品交接，如有需要可以协助转运。
- 将取得的急救设备归还原位，并向维护急救设备的单位报告设备使用情况，提醒他们及时补充、更换材料。
- 保护患者的隐私，做好自身清洁、消毒，总结经验。

现场急救的原则

施救者在进行现场急救时，必须遵循以下原则：

- 评估现场，确保环境安全。
- 表明身份，取得患者或其亲友的同意和配合。
- 报警求助，寻求专业人员支援。
- 做好防护，防止自身被感染。
- 高效施救，挽救生命。
- 保护隐私，不要将患者的隐私泄露给不相关的人员。

评估现场

只有在确保施救者自身安全的情况下，才可进入现场施救。在现场，施救者应善于发现已经存在的和潜在的危险，并妥善解决，以保证施救者、患者和旁观者的安全。

- 如果环境安全，施救者应立即施救。
- 如果环境不安全，但是可以采取一些现场可以做到的措施使环境变得安全，施救者应立即行动。如电击伤的现场，施救者应先拉闸断电，让环境变得安全，才能靠近患者进行施救（图1）。
- 如果环境不安全，也不能通过紧急措施使环境变得安全，施救者应立即将患者转移到安全的环境。如地震现场，立即将患者从不安全的建筑里移到开阔的平地上。
- 如果环境不安全，施救者既不能使环境变得安全，也不能移出患者，则不应盲目进入现场。施救者应在安全区域呼叫专业救援队伍施救，同时尽可能与患者保持联系或者语言交流。

图1 拉闸断电，让周围环境变得安全

表明身份

到达现场后，施救者应正面接近患者，并向患者或其亲友表明身份，说明自己学习过急救，可以提供帮助，询问患者是否同意。只有获得患者或其亲友同意，方可施救。施救前，说明将要采取的救护措施，取得患者或亲友的配合。

- 如果患者神志清楚，同意施救，施救者应立即施救。
- 如果患者神志不清或者不能回答，应默认为患者同意，施救者应立即施救。
- 如果患者神志不清或者不能回答，但有亲友在现场，应询问他们的意见，他们同意后方可施救。
- 如果患者或其亲友拒绝施救者的帮助，则施救者不要在患者身上实施救助，但是施救者可以帮助呼叫120，维护现场秩序，陪伴在患者身边，直到专业急救人员到来。

注意：

任何意识清醒的成年人，在意思表示真实的情况下，都有拒绝他人帮助的权利。

报警求助

如果施救者发现有人突发急症或遭遇意外伤害，应立即呼喊更多的人来帮忙，尽快报警求助。

何时报警

患者突发急症或遭遇意外伤害，需要医务人员救治时，应呼叫120。

- 如果患者神志清楚，应询问他的意见，是否需要呼叫120。
- 如果患者神志不清或者不能回答，应立即呼叫120。
- 有必要时，还需要呼叫110、119等。
- 如果附近有自动体外除颤器（automated external defibrillator，简写AED）和急救箱，应同时请旁观者获取。

注意：

每个城市的120急救资源都是有限的、珍贵的，应该节约使用。只有在确实需要使用救护车时，才呼叫120。应避免过度使用救护车，以免真正需要救护车的患者无车可用(图2)。

图2 珍惜急救资源，避免过度使用救护车

谁来报警

除患者外，现场可能只有一名施救者，也可能有多名施救者。施救者人数不同，现场分工也不相同。

- 现场如果只有一名施救者，应立即呼叫120，并将手机设置为免提模式放在旁边，一边大声报警，一边施救。
- 现场如果有两名施救者，应一人施救，另一人呼叫120、寻找并取回AED和急救箱。
- 现场如果有三名施救者，应一人施救，指定一人呼叫120，第三人去寻找并取回AED和急救箱。
- 现场如果有三名以上的施救者，则可以指定专人维持现场秩序，或者去接应救护车。

如何报警

呼叫120时应该沉着冷静、吐字清晰、描述准确、语言精简，要在最短的时间内把正确、有效的信息传递给120调度员，并及时、准确地回答120调度员的询问。

描述具体地址

地址描述得越清楚、越详细越好，要明确到街道门牌号和小区单元、楼层、房间号，最好能讲明周边有明显标志的建筑物如某某酒店、商场、公司、工厂、公园、运动场、城市雕塑等。

说明患者最紧急的情况

描述患者目前最需要救治的情况，如晕厥、胸痛、呼吸困难、外伤、抽搐、中毒、淹溺等。

留下联系方式

如果是用固定电话呼叫的120，呼叫者要提供手机号码，这样即使在呼叫者外出接救护车时，120调度员也可以联系得到。

例如：120，我现在______市______区______路______小区___栋___单元___号房，小区附近有一个明显的_______，我的_____现在发生了_____，我的电话是_________________，我会在小区门口接救护车。

应保持电话畅通

在呼叫120之后，遵照120调度员的电话指导对患者实施现场急救。保持电话通畅，120调度员嘱其挂断电话方可挂断。挂断电话后做好随时接听120急救人员电话的准备，不要长时间和他人通话，避免电话占线。可以用另外的电话联系他人。

其他情况

如果时间允许，可以描述患者的性别、年龄、既往身体状况、发病经过、采取的急救措施等。

如果是灾害，应描述灾害的种类、受伤人数。

还有一些特殊情况，也应告诉120调度员，如患者被物体压住、掉落在井中或者现场有漏电、毒气泄漏、山石滑落等危险。

如果现场人员较多，或者现场位置较为偏僻，无人指引则难以到达现场，可以安排一名施救者接救护车，并及时告知120调度员接车的准确地点，如____路____小区____门。

注意：

多数小区的地下停车场高度不够，救护车难以驶入，所以不要在地下停车场接救护车。

远程指导

国内大多数城市都开通了“急救优先分级调度系统（medical priority dispatch system，MPDS）”，120调度员在派出救护车后，可以通过电话远程指导患者或施救者进行自救互救。调度员的电话指导，通常会在调度员派车后或派车的同时进行，并不会影响救护车的行驶和到达时间。所以，施救者在报警时，不要主动挂断电话，应该遵循调度员的指令，正确施救。

在某些城市，如重庆市，还开通了“急救视频120自救互救系统”。视频120由医生端、患者端和电脑端系统三部分组成，施救者可以通过手机APP或浏览器实时将急救现场的画面直播给120调度指挥中心，120调度员会以“视频＋通话”的方式获得现场及患者病情信息，在救护车到达前，指导现场人员实施自救或互救。同时可以定位呼救者位置，指导救护车准确前往呼救地点。

不要主动挂断电话

120调度员在派出救护车后，会通过电话远程指导患者或施救者进行自救或互救。调度员的电话指导，并不影响救护车的到达时间。所以，施救者在报警时，不要主动挂断电话，应遵循调度员的指令，正确施救。

做好防护

现场施救过程中，施救者要采取一些必要的防护措施，避免直接接触患者的血液、痰液、尿液、呕吐物、排泄物等，以保护自己。

防护措施

这些防护措施包括但不限于:

- 戴手套、护目镜或防护面屏、口罩，穿隔离衣、防护靴等。
- 如果施救者自身有伤口，应遮盖、保护好伤口。
- 患者的呕吐物、痰液、血液、尿液等应及时正确处理，可以用沙土、石灰掩埋。如果与病情有关，应收集起来，交给120急救人员，如怀疑食物中毒时要收集患者呕吐物。
- 结束救援后，应正确脱手套、口罩和防护靴，摘掉护目镜，并正确处置。
- 使用过的手套、口罩、纱布、绷带、三角巾、棉签，以及沾有患者体液、血液、呕吐物的衣物等，要用塑料袋收集、密封，交给120急救人员带走处置或者放到医疗机构的医疗垃圾桶，而不能放到生活垃圾桶（图3）。医疗垃圾有专业机构处理。
- 如果施救者不慎沾染了污物，而患者有通过血液或者体液传播的疾病，如乙肝、丙肝、艾滋病等，施救者应立即清洗接触部位，并及时去当地的医院和疾病预防控制机构咨询，进行标准预防或者治疗。
- 在传染病大流行期间，接触到疑似传染病患者时，施救者应联系当地卫生主管部门报告并查询被救者传染病筛查情况。

图3 医疗垃圾应丢入医疗垃圾桶

脱手套方法

完成急救后，施救者应采取正确的方法脱手套，避免接触到手套上的污物。脱手套的方法如下：

- 施救者一只手的拇指和示指，捏住另一只手的手套袖口边缘下端2厘米处，用力往下拉起袖口，并使袖口外翻（图4A）。
- 继续往下拉扯，脱掉手套（图4B）。
- 戴手套的手握住被脱下的手套。
- 已脱掉手套的手的示指和中指伸进另一只手套的袖口内，注意不要碰到手套的外表面（图4C）。
- 两指向外翻和下拉，脱掉这只手套，使手套的里层露在外面，并完全包住第一只手套和第二只手套的外层（图4D）。
- 将两只手套放进塑料袋，密封，交给120急救人员带走或者放到医疗机构的医疗垃圾桶。
- 用肥皂和水彻底洗手，或用含酒精的消毒凝胶消毒双手。

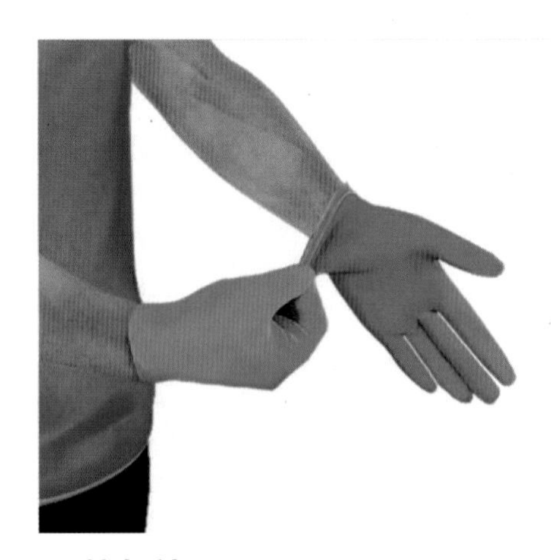

A 拉起袖口

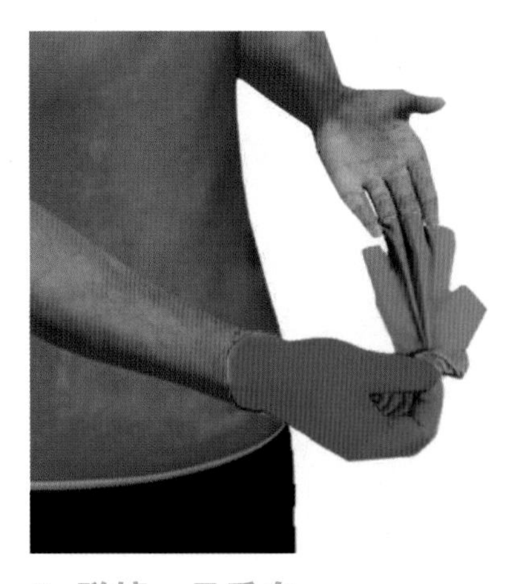

B 脱掉一只手套

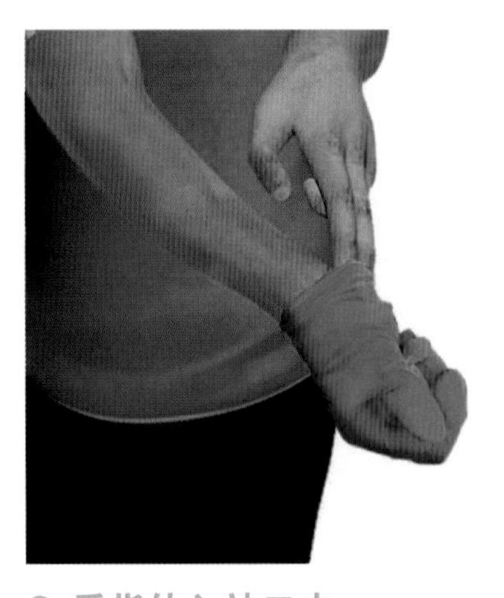

C 手指伸入袖口内

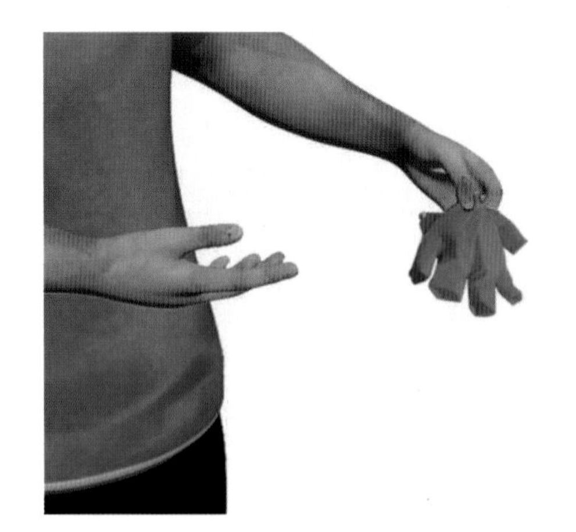

D 里层在外，完全包住手套外表面

图4 按步骤正确脱掉手套

洗手法

脱掉手套后，施救者应该采用“七步洗手法”认真洗手。具体方法如下：

- 打开水龙头，沾湿双手，在掌心涂抹洗手液或肥皂。

- 双手互相揉搓，用流动的清水，按照“内、外、夹、弓、大、立、腕”的顺序依次清洗：
  “内”——掌心相对，手指并拢相互搓擦（图5A）；
  “外”——掌心对手背，沿指缝相互搓擦，交换进行（图5B）；
  “夹”——掌心相对，双手交叉沿指缝相互搓擦（图5C）；
  “弓”——弯曲各手指关节，在另一手掌心旋转搓擦，交换进行（图5D）；
  “大”——手握另一手大拇指，旋转搓擦,交换进行（图5E）；
  “立”——五个手指尖并拢立起，在另一手掌心旋转揉搓，交换进行（图5F）；
  “腕”——手握另一手腕部，旋转揉搓手腕，交换进行（图5G）。
- 每步至少来回洗5次，每个部位清洗20秒钟以上。
- 用清水彻底冲洗双手，将洗手液或肥皂水冲洗干净。
- 用一次性纸巾擦干或用烘手机烘干双手。

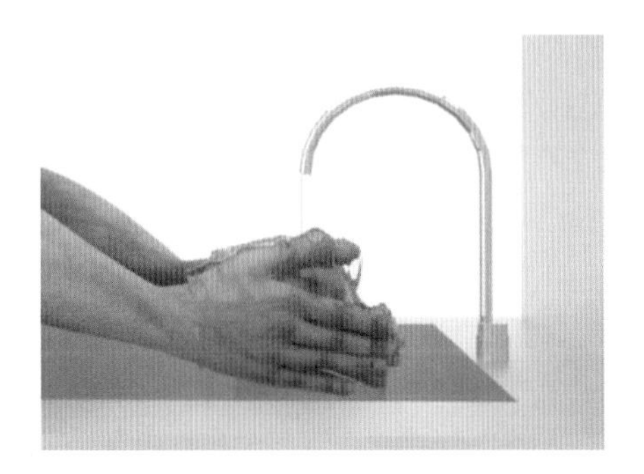

A 掌心相对

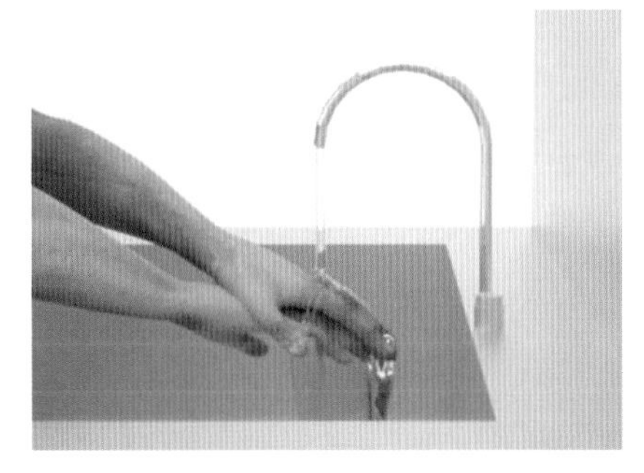

B 掌心对手背

C 掌心相对，手指交叉互搓

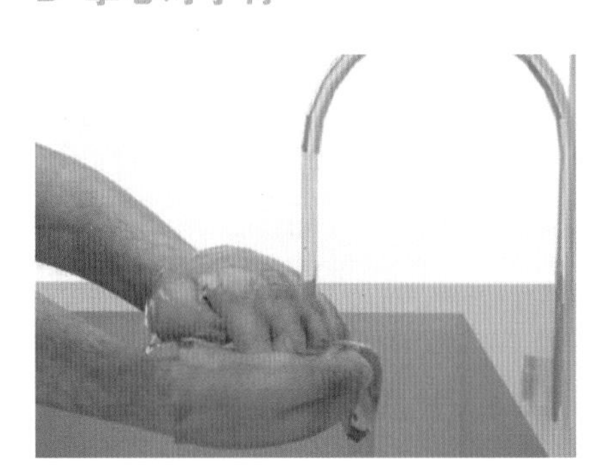

D 手指关节对掌心

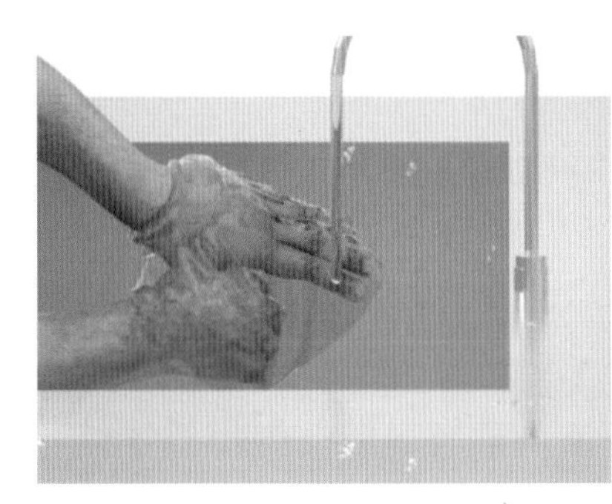

E 手握另一手大拇指

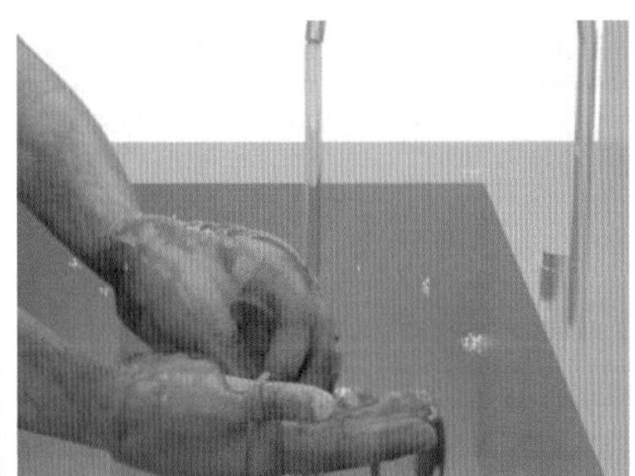

F 指尖对掌心

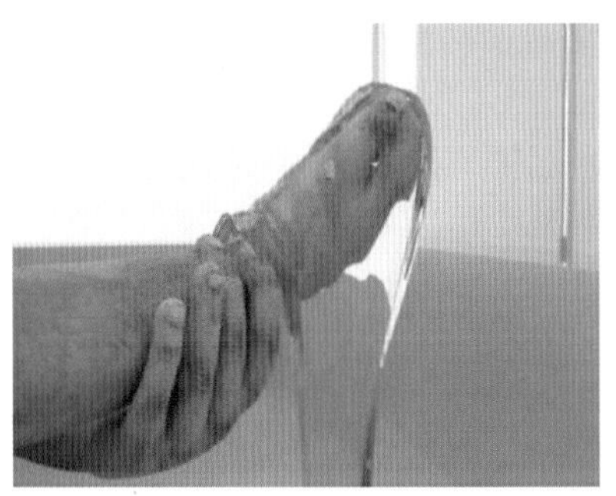

G 手握另一手腕部

图5 按七步洗手法正确洗手

高效施救

患者的病情可能较轻，也可能很严重，施救者应运用所学知识，沉着冷静，充分调动现场资源，争分夺秒，高效施救。

有序施救

意外伤害或者灾害发生时，患者可能有多个部位受伤，也可能有多人受伤。此时，应该分清轻重缓急，按照符合医学原则的顺序施救。

- 先救己，后救人。当施救者也面临危险时，应该遵循这一原则。如乘坐飞机发生危险时，先给自己戴上氧气面罩，再帮助旁边的人戴氧气面罩（图6）。
- 先呼救，后施救。呼叫更多的人来帮忙，可以更有效地施救。如心肺复苏时，可以轮替进行胸外按压。
- 先救命，后治伤。患者多处受伤时，可能存在窒息、出血、骨折、肌腱断裂、腹腔脏器外露等多个问题，应先救命，后治伤。首先开放气道，把危及生命的窒息处理好，再把外出血处理好，然后再处理其他伤情。
- 先重伤，后轻伤。现场有多名患者时，施救者应进行检伤分类，把重伤患者分拣出来，迅速进行救治和转运，再治疗轻伤患者。
- 先处置，后转运。患者病情危重、转运会延误抢救时，应该在事故现场给予患者正确的救治措施，使患者的病情相对稳定后再转运。如遇气道异物梗阻的患者，施救者应立即在现场进行解救，然后再送到医院进行进一步诊疗。
- 于灾害、事故中抢救群体患者时，应按先近后远、先多后少、先易后难的顺序进行挖掘和抢救，并逐渐壮大施救队伍。

图6 先给自己戴氧气面罩，再帮助他人戴氧气面罩

正确施救

施救者应到专业的培训机构学习正确的急救知识，并通过反复的训练来掌握急救技能。在现场进行急救时，如果施救者不能确定将要采取的措施是正确有效的，则不要轻易实施。一些可能加重患者病情的措施，如牵拉、翻身、复位、搬运、穿刺，以及喂药、食物和水等，不要轻易实施。

充分利用现有资源

呼叫更多的人员参与施救，对这些人员进行合理分工，包括指定人员维持秩序、疏导交通、接引救护车、处理周围潜在的不安全因素等。

现场指示要大声、明确、清晰，并确保施救者的指示被执行。

要充分利用现场的物品、材料，把它们制作成简易器材用于急救。

保护隐私

现场急救时，施救者尽量不要撕开、移除患者的衣物，特别是私密部位的衣物，以免暴露患者隐私。

如果患者的衣物影响到施救，必须要撕开、移除患者的衣物才能正确施救时，施救者要取得患者和（或）其亲友的同意；如果患者神志不清，且其身边没有亲友，施救者也不要犹豫，以免延误抢救。

在暴露患者身体隐私部位时，在不影响急救的前提下，施救者要充分利用现场条件，采取措施保护患者隐私，如用雨伞、报纸、布料等给予一些必要的遮挡。

患者的电话、家庭地址、病史资料等信息，施救者只能告知与急救相关的人员，不得通过网络、视频软件等途径泄露、传播。

不取得患者的同意，施救者不能传播急救过程中的照片、视频等，更不能将照片、视频等出售来牟取私利。

现场急救的照片、视频，如果要用作教学和公益宣传，应该取得患者或其家属同意，必要时应该遮掩患者面部。

急救体位

现场急救时，根据患者的病情，施救者要将患者置于合适的体位。急救体位的选择，要符合以下三个要求：

- 要有利于施救者进行急救操作。
- 要避免加重患者的病情。
- 要使患者感到舒适，有利于减轻病情。

端坐位

患者坐于床边、椅子或者其他支撑物上，双腿下垂（图7）。

这种体位常用于神志清楚的急性心力衰竭、严重的支气管哮喘发作、呼吸困难患者。患者常表现为突然喘憋、嘴唇青紫、咳泡沫血痰。

半卧位

患者仰卧后，用多个枕头、被子等物将患者上半身支起，膝下再垫一个小枕头防止患者下滑（图8）。

这种体位有利于腹部肌肉放松，使呼吸更顺畅，常用于胸部外伤、腹部外伤、呼吸困难但神志清楚的患者。

图7 端坐位

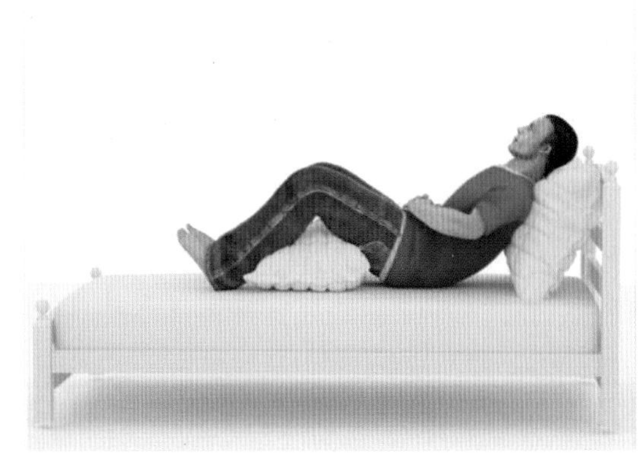

图8 半卧位

去枕仰卧位

患者平躺仰卧在平硬物体表面上，上肢伸直贴近躯体，下肢自然伸直，头部不垫枕头（图9）。

心肺复苏时，要将患者置于这种体位。

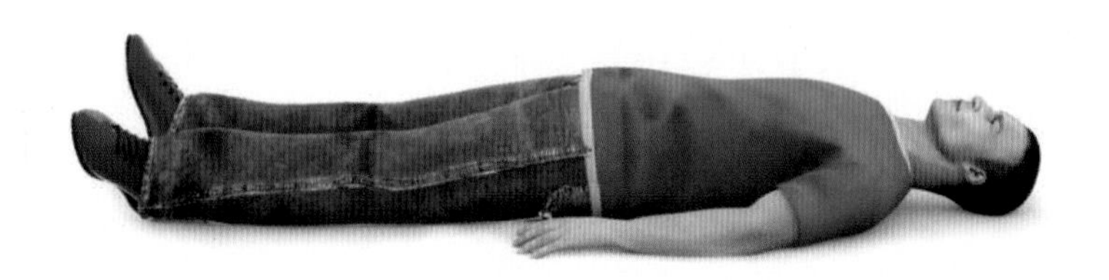

图9 去枕仰卧位

头高足低位

患者仰卧，头、肩、背垫上枕头、被子等物，使上身和头抬高（图10）。

这种体位常用于神志清楚，且口腔内没有呕吐物、血液等异物的脑卒中、中暑、头部外伤的患者。

图10 头高足低位

头高侧卧位

患者侧卧，头部垫上枕头、被子等物（图11）。

这种体位常用于有恶心呕吐、口腔有大量分泌物的脑卒中、中暑、头部外伤的清醒患者。

图11 头高侧卧位

头低侧卧位

也叫恢复体位、复原卧位。患者侧卧，头部不垫枕头（图12）。

这种体位常用于无脊柱损伤、有呼吸、有脉搏的昏迷患者。心肺复苏成功后，也可将患者置于这种体位。

图12 头低侧卧位

头高足高位

也叫休克体位、中凹位。患者仰卧，头、背部垫物，抬高20°～30°，小腿和脚部垫物，抬高15°～20°(图13)。

这种体位常用于休克患者。

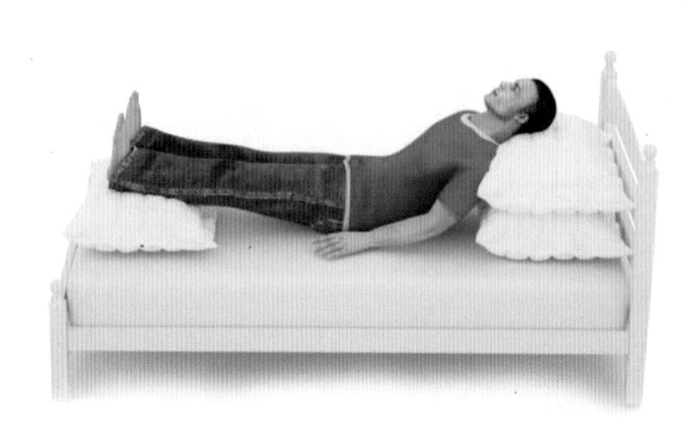

图13 头高足高位

法律保障

在他人遇到危险需要紧急救助时，施救者自愿伸出援助之手为患者进行现场急救。但如果施救者在施救过程中，由于紧张、慌乱、能力不足等各种原因，采取的急救措施不规范，给患者造成了程度不一的伤害，那么，施救者会不会被要求承担法律责任呢?

2021年1月1日起施行的《中华人民共和国民法典》第184条规定：“因自愿实施紧急救助行为造成受助人损害的，救助人不承担民事责任。”

此条法律已经明确了，如果患者处于危险之中，急需他人帮助时，施救者实施主动的、善意的、自愿的、无偿的救助行为，即使对患者造成了损伤，也可以依据本条规定，免除施救者的民事责任。

这一豁免施救者责任的法律，被称作中国版的“好人法”。它充分彰显了法律对培育见义勇为、乐于助人的良好社会风尚的积极态度，表达了法律对见义勇为行为的充分认可，对端正社会风气具有重要的意义。

当然，作为施救者，要以正确救人为目的，不能见义“乱”为，给患者造成二次伤害，导致患者病情加重。为此，我们应该抽出时间，认真学习正确的急救知识，平时反复练习，才能见义“智”为，在救助过程中临危不乱，挽救生命。

第二篇 现场急救流程

学习目标

阅读完本篇后，我们应该：

掌握现场急救的四个步骤

掌握现场评估的内容和方法

掌握快速施救的内容和方法

掌握详细检查的内容和方法

掌握转运和交接的内容和方法

现场急救的四个步骤

急救现场的环境多种多样，患者的病情也千差万别，为了保证现场安全与高效施救，施救者应遵循以下流程：

- 第一步 现场评估
- 第二步 快速施救
- 第三步 详细检查
- 第四步 转运和交接

第一步 现场评估

在接近患者前，施救者应该通过眼看、耳听、鼻嗅等方法对患者所在现场的上、下、左、右、前、后等方位进行全面观察，评估环境的安全性，确保没有安全隐患。同时，观察患者的具体情况，建立第一印象。另外，还要了解现场的可用资源，判断是否需要支援。

所以，第一步现场评估包括以下三个方面：

- 评估环境是否安全。
- 建立对患者的第一印象。
- 了解现场资源和判断是否需要支援。

评估环境

在靠近现场的第一时间评估事发现场环境是否安全。现场环境不安全时，禁止进入。施救者的生命同等重要，只有保护好自己，才能帮助他人。

隔窗评估

施救者乘车接近现场的同时，就应该开始评估现场。在下车前，还要透过车窗玻璃进行一次“隔窗评估”，确定环境是否安全。下车后，立即放置警示牌。

如果是交通事故，施救者乘车到达后，应将车辆停在现场正后方的车道，车头朝向便于撤离的方向，车身与行车道成30°，并在车辆后方放置警示牌，使救援车辆成为安全屏障，保护现场（图14A）。待患者被救出来要上车撤离时，应将救援车辆开到事故现场正前方，此时，事故现场成为安全屏障（图14B）。

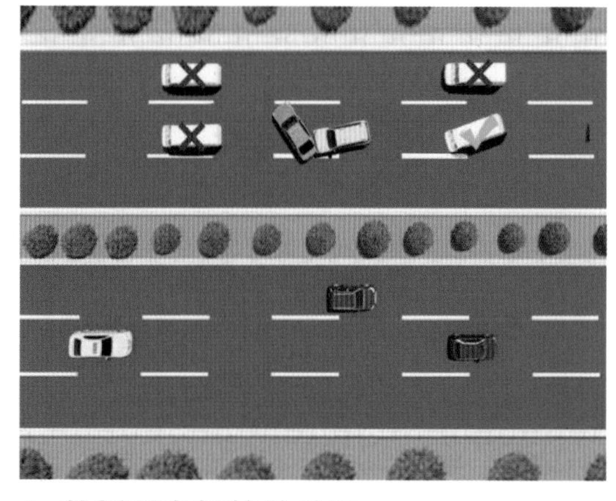

A 救援时车辆停放位置

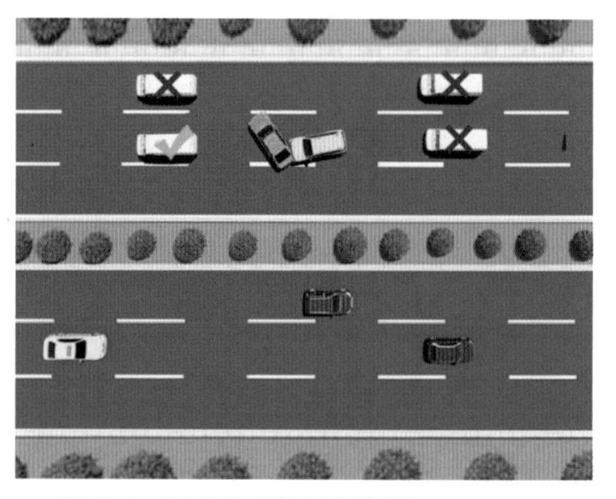

B 患者上车时车辆停放位置

图14 交通事故现场正确停车施救示意图

评估的内容

施救者应该迅速评估以下内容：

是否有可见的危险

- 是否仍然有人在打斗？
- 是否存在有毒气体？
- 是否有裸露的电线，存在被电击的危险？
- 下水道、深井、巨罐、地窖、粮仓里，是否缺氧？

是否有潜在的危险

- 车辆漏油，会不会起火？是否会爆炸？
- 现场是否还有隐藏的危险人物，或已经离开的犯罪分子会不会返回现场？
- 爆炸的现场，是否有未拆除的炸弹？
- 火灾、地震、台风等灾害现场，是否有不稳定的建筑物、广告牌会倒塌、掉落？

是否有持续的危险

- 高速公路事故现场，车流量大，车速快。
- 火灾现场，浓烟没有消散，大火没有扑灭。
- 毒气泄漏，毒气短时间内无法清除。
- 台风天气，风灾仍在持续。

第一印象

进入现场后，边靠近边观察患者，要对现场和需要救助的对象有一个初步认知，建立第一印象（图15）。

图15 边走边看，迅速建立第一印象

基本情况

通过观察，了解患者的基本情况：

- 患者性别、年龄、体形、面部表情、体位（坐、卧、蹲等）。
- 患者是否能说话、呻吟？
- 患者是否有自主活动？
- 患者是独自一人，还是有人在身边照顾？

伤病机制

了解患者是突发急症，是遇到意外伤害，还是处于灾害之中，有助于施救者决定下一步应该采取何种急救措施。要判断患者是哪种情况：

- 患者是内科疾病？儿科疾病？中毒？淹溺？
- 是何种意外伤害？高处坠落、刀砍伤、棍棒击伤，还是烧烫伤？
- 是何种交通事故？人车相撞，还是两车相撞？两车是面对面相撞，还是追尾，或者侧面相撞？有没有人员被抛出车外？
- 是被何种动物咬伤？犬？蛇？
- 是被何种动物蜇伤？蜈蚣？蜜蜂？水母？

患者人数

了解患者人数，在呼叫120时，可以提供给120调度员。调度员会根据施救者的来电信息，决定派出一辆还是多辆救护车：

- 现场是一名患者，还是多名患者？
- 如果有多名患者，那么危重症患者多少人，轻症患者多少人？
- 现场还有没有隐藏的患者？

资源和支援

在明确现场环境安全，且患者需要帮助后，施救者要评估急救资源是否充足，还需不需要支援。

资 源

施救者目前可以使用或者可以迅速获得的对现场施救有帮助的人和物：

- 现在有哪些急救设备？
- 附近有没有AED和急救箱？
- 附近还有哪些急救设备或者资源可以利用？
- 附近还有没有更多的人来帮忙？
- 要做好哪些个人防护？

注意：

进入现场前，请做好个人防护，如戴手套、口罩、护目镜等。

支 援

现有资源不足以救助患者，需要获得更多的人员、设备支援：

- 需要更多的人帮忙。如发生了大型的车祸事故，患者很多，需要更多的人帮忙。
- 需要特殊的救援设备。如患者掉入深井，需要起吊的绳索和设备。
- 需要专业救援人员。如有患者被卡在车内或者压在建筑物下，需要消防员破拆。

第二步 快速施救

施救者靠近患者后，应迅速获取患者生命体征的关键信息，并立即处置威胁患者生命的病因和伤情。这些信息包括评估患者是否有可以控制的大出血，患者的意识、气道、呼吸和循环情况如何。施救者应及时采取正确有效的措施，挽救生命。

所以，第二步快速施救应包括以下五个方面：

- 评估患者是否有可以控制的大出血，如有，立即止血。
- 评估患者意识情况，如有异常，立即给予正确处置。
- 评估患者气道情况，如有异常，立即给予正确处置。
- 评估患者呼吸情况，如有异常，立即给予正确处置。
- 评估患者循环情况，如有异常，立即给予正确处置。

在进行快速施救时，如果只有一名施救者，应按照检查顺序进行检查，发现问题时立即处理问题。如果有多名施救者，为避免施救者因为中断检查去处理外伤而导致检查不完全，所以应有一人专职按照检查顺序进行检查，发现问题时指定另外的施救者对症处置，而检查者要继续进行下一步检查。

注意：

只有在出现以下4种情况时，施救者才可以中断初步检查，共同参与抢救：周围环境不安全、大出血不能控制、气道梗阻、心跳及呼吸停止。

控制大出血 

如果患者有可见的大出血，只有一名施救者时，这名施救者应立即止血。

如果患者有可见的大出血，有多名施救者时，一名施救者对患者进行止血，另一名施救者继续评估意识、气道、呼吸和循环。

评估意识 

意识状态反映大脑功能，可以通过“轻拍重唤看反应”来判断患者意识情况。

施救者边正面靠近患者，边大声询问：“喂，您怎么了，您需要帮助吗？”如果患者倒在地上无回复，用双手轻轻拍打患者的双肩，大声呼喊：“喂，您怎么了，快醒醒！”同时观察患者的面部、肢端是否有反应，综合判断患者的意识状况。如果知道患者的名字，可以直呼其名（图16A）。

如果患者是婴儿，轻拍患儿足底，观察患儿是否有动作、发声等反应（图16B）。

A 拍打成人或儿童的双肩判断意识

B 拍打婴儿的足底判断意识

图16 采用“轻拍重唤看反应”的方法，判断意识

注意：

施救者拍打肩部时用力不要过大，以防加重骨折等损伤。拍打和呼喊时间不要过长，应控制在10秒钟内。

AVPU评分法

意识状态可以用英文字母“AVPU”来评估。AVPU是对患者意识水平的一个简单的描述，A代表意识清醒，大脑功能良好，而U代表大脑功能严重受损。

- A（alert）代表“清醒”。患者可以正确回答问题，可以遵照执行简单的指令。
- V（verbal）代表“对声音有反应”。患者意识模糊、神志不清，但是对声音刺激有反应。施救者大声呼喊时，患者可以出现呻吟、眨眼、偏头、四肢轻微活动等。
- P（pain）代表“对疼痛有反应”。患者对声音刺激没有反应，对疼痛刺激有反应。如施救者在拍打肩膀时，患者出现皱眉、耸肩、躲避、肢体运动等活动。
- U（unresponsive）代表“无反应”。对任何刺激都没有反应，没有呕吐反射和咳嗽反射，意识完全丧失。

表明身份

如果患者清醒，施救者应表明身份和意图：“我学习过急救知识，我可以帮助您吗？”询问其是否需要帮助。如果患者同意，则进行下一步施救。

如果患者不清醒或者不能回答，但是患者有亲友在现场，可以向他们表明身份，获得他们的同意。

如果患者不清醒或者不能回答，也没有亲友在场，应默认患者同意施救。

呼 救

如果患者需要呼叫120，或者他没有反应，施救者应立即向周围人员呼救，并呼叫120。必要时，同时呼叫其他救援部门，如110、119等。

颈椎保护

患者因为车祸、高处坠落或者其他因素造成严重外伤，当意识状态为A级时，施救者应告诉患者冷静，让其配合检查，并明确患者有无颈部疼痛、肢体麻木等颈椎损伤表现，如果有上述表现，则负责检查的施救者应指定一人给予徒手颈椎保护。如果患者意识状态为V，P，U级中的任何一种，则施救者应怀疑患者有颈椎损伤，也应指定一人给予徒手颈椎保护。

注意：

对于严重外伤患者，如果不能明确排除颈椎损伤，负责检查的施救者应指定一人给予徒手颈椎保护。

评估气道

气道是指气体进出人体的通道，包括口、鼻、咽、喉、气管和各级支气管。

施救者可以通过看、听的方法来评估患者气道是否通畅。

如果患者能以正常声音说话，说明气道通畅。

如果患者反应迟钝，或者无意识，则需要快速评估和开放气道。

看

观察患者面部、口腔、颈部和胸部。
评估:

- 患者面部、颈部、胸部有无明显的外伤?
- 患者口腔内有无异物，如血液、呕吐物?

听

听呼吸音。
评估:

- 患者有打鼾声，可能是舌头后坠，阻塞咽喉。
- 患者有气过水声，气道内可能有液体，如分泌物、血液、呕吐物等。
- 患者吸气时声音尖锐，表明气道狭窄或者不完全梗阻。
- 听不到患者呼吸音，表明气道完全梗阻或者呼吸停止。

注意:
如果气道存在问题，应该立即处置：清理口腔异物、开放气道等。

评估呼吸

呼吸是指机体与外界环境之间气体交换的过程。

施救者通过看、听的方法来评估患者的呼吸情况，可以来回扫视患者头部和胸腹部，也可以俯身“边看边听”（图17）。

图17 通过看、听的方法，评估患者气道和呼吸情况

看

观察患者的面色、呼吸频率、呼吸力度、胸部运动的对称性。

评估：

- 患者面色是否苍白或者青紫？
- 患者有没有呼吸？
- 患者不能完整的说一句话或者不能一口气从1数到10，则可能有呼吸困难。
- 患者呼吸时，锁骨上窝、胸骨上窝、肋间隙同时发生凹陷，可能有哮喘、气道异物梗阻等。
- 患者呼吸时，胸部运动不对称，运动减弱的一侧，可能有气胸、血胸、胸腔积液等。
- 患者呼吸不规则，出现叹气样（呼吸时伴有叹息声）、点头样（吸气时深、长，头向后仰；呼气时短促，头向前倾恢复原位）呼吸，呼气和吸气之间可能有短暂停顿，呼吸可能有力或微弱，呼吸频率较慢，这些情况表示患者呼吸衰竭，处于濒死状态，称为濒死叹息样呼吸。
- 患者吸气时胸壁下降，呼气时胸壁抬起，称为“反常呼吸”，表明患者有多根肋骨多处骨折。

听

听呼吸音。

评估：

- 患者有喘息声或者呼气时间延长，可能有气道阻塞。
- 患者有哮鸣音，可能有哮喘急性发作。

注意：

如果发现患者存在呼吸困难，应立即处置，如进行气道异物梗阻解救、使用吸入剂、人工呼吸等。

如果发现患者没有反应、没有呼吸或者呈濒死样呼吸，应立即进行心肺复苏。

评估循环 

施救者可以通过看、摸、压、感觉的方法来判断患者血液循环的状况是否良好。

看

观察患者身体、衣物。

评估：

- 患者有可见的外出血，应立即止血。
- 患者衣物被血浸湿，或者有血流在患者周围，可判断有外出血。
- 患者嘴唇、皮肤颜色苍白，说明循环不良。

摸

触摸脉搏。

首选触摸颈动脉。施救者一只手的示指和中指并拢，从患者下颌正中，沿着颈部向下摸到气管正中部位（男性可触及喉结），向靠近施救者一侧水平移动2～3厘米，在气管和颈部肌肉的沟内，轻轻下压，可以摸到颈动脉搏动（图18）。

评估：

- 如能触到颈动脉搏动，则表示收缩压不低于60mmHg，心跳未停止。

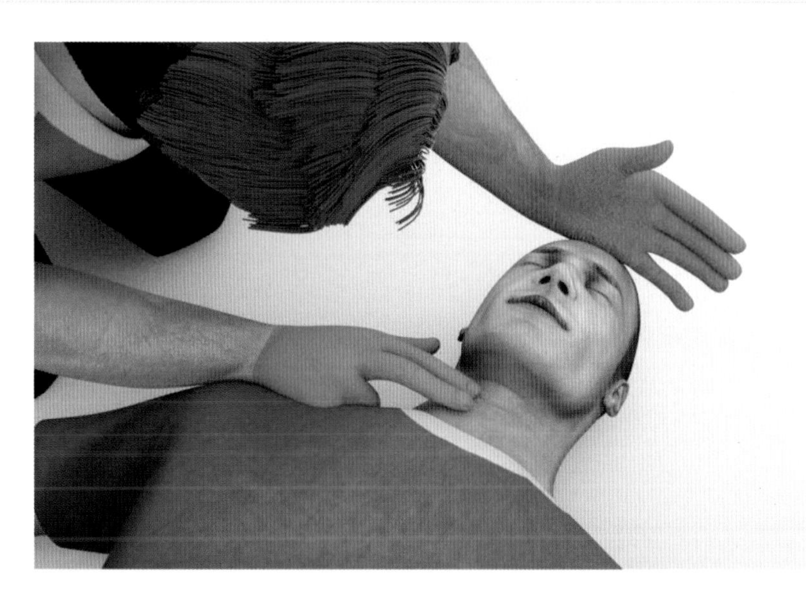

图18 触摸颈动脉，判断循环情况

压

压迫指甲甲床。

施救者一只手的拇指和示指稍用力按压患者的示指或者中指的甲床，此时被压迫的甲床变得苍白（图19A）。2秒后，松开按压的手指。

评估：

- 施救者松开手指后，观察甲床。如果松开手指2秒后，甲床仍然苍白，说明循环不良（图19B）。如果恢复红润，说明循环良好（图19C）。

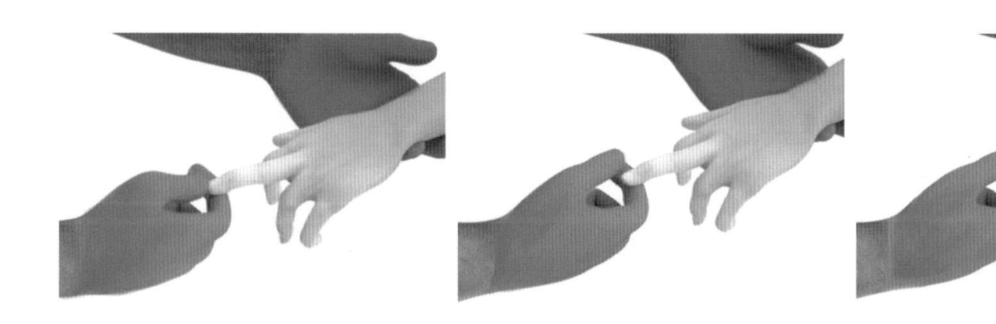

A 压迫甲床　B 松开手指2秒后，甲床仍然苍白　C 松开手指2秒后，甲床恢复红润

图19 压迫指甲甲床，判断循环情况

感觉

感觉患者皮肤温度、湿度。可以通过触摸患者前臂、额头，感受其皮肤是否冰凉、湿冷。

评估:

- 患者皮肤冰凉、湿冷，提示循环不良。

注意:

患者没有反应、没有呼吸或者呈濒死样呼吸，非专业施救者不需要再检查脉搏，就可开始心肺复苏。

评估循环时，要检查可见的出血是否已停止。

第三步详细检查

处理了患者在气道、呼吸和循环方面存在的紧急情况之后，施救者可以进一步做详细的检查，以了解患者的整体情况。

详细检查包括以下三个方面:

- 患者的病史情况。
- 患者的身体情况。
- 患者的生命体征情况。

询问病史

如果患者的病情允许，施救者可以收集病史。收集病史时，采集旁观者的信息也十分重要。特别是对于公共场所发生的意外伤害，旁观者可能比患者更加了解事情发生的经过。

病史的内容

病史采集非常重要，正确的病史有助于判断病情。施救者应询问以下内容:

- 发病或者受伤的经过是怎样的?
- 主要的症状是什么? 患者感觉哪里最不舒服?
- 既往身体是否健康? 得过哪些疾病或者做过什么手术? 如是否有糖尿病、高血压?
- 刚刚是否使用了药物? 使用了哪些药物? 服用了多少药物? 使用了之后有没有效果? 如是否使用了胰岛素、降压药?
- 是否有过敏史? 对哪些食物、药物过敏?
- 发病前最后一次吃东西是什么时候? 吃了什么? 最后一次大小便是什么时候? 大小便的形状、颜色是什么样的，量有多少?

病史的用处

如果施救者要给患者服药，必须要询问是否有药物过敏史，并遵循120调度员的指导。

或许可以通过询问病史，发现此次伤病的原因。例如糖尿病病人，如果没有按时服药或者进食，可能造成高血糖或者低血糖。

施救者应该将收集到的这些情况，真实地反映给120急救人员。

注意：

患者的病史是隐私，禁止泄露给与此次急救无关的任何人。

身体检查

对患者进行仔细的身体检查，可以发现隐蔽的伤处，也有助于评估病情。

创伤患者

对于创伤患者，施救者通过询问受伤经过和受伤情况，可以判断患者是要进行全身的详细检查，还是局部的重点检查。如果患者是因为交通事故、高处坠落等复杂或者高能量的致伤机制引起受伤，或者患者意识不清，或者致伤机制不明确，则施救者要对患者进行全身的详细检查。如果患者致伤机制明确且单一，对患者造成的伤害局限于身体某个部位，则施救者可以对受伤部位进行局部重点检查，如切菜割伤手指时重点检查受伤的手指，被棍棒打到手臂时重点检查受伤的手臂，等等。

施救者对创伤患者进行全身详细检查时，一般按照从头到脚的顺序依次进行。检查时，施救者动作应轻柔，不能加重患者病情。施救者应谨慎对患者进行翻身、牵引、拉伸、压迫，这些方法可能对患者造成再次伤害。此外，检查时，要特别注意保护脊柱，尤其是颈椎。

施救者可采用视、触的方法，评估患者有无出血、畸形、红肿、压痛，以及其他如挫伤、擦伤、烧伤、穿透伤、脏器外露等异常情况。

在对创伤患者进行身体检查时，如果发现有外伤，应及时指定其他施救者给予止血、包扎、固定。

头部评估

- 头部有无出血、畸形、红肿、压痛?
- 两侧耳孔有无出血、出液（耳漏）？
- 眼眶周围有无青紫淤肿（熊猫眼），能不能睁开眼睛，是否有视物模糊（图20）？
- 口鼻有无出血、变形，轻压鼻部是否有压痛?
- 是否可以张开嘴，口腔内有无异物?
- 下颌骨是否有骨折?

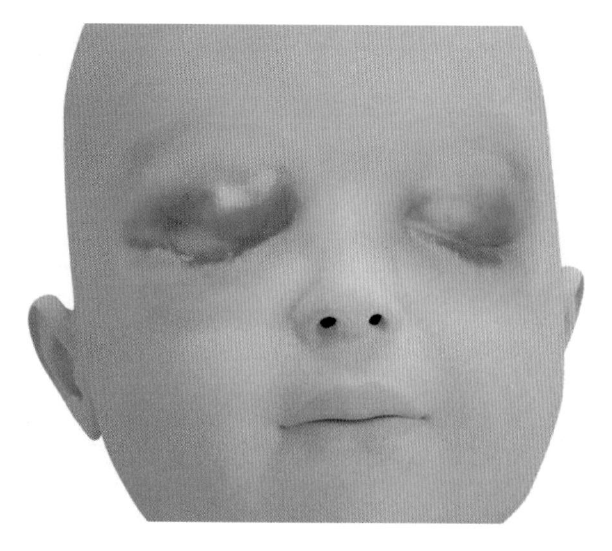

图20 眶周瘀肿，提示有颅底骨折

颈部和胸部评估

- 颈部有无出血、畸形、红肿、压痛，气管是否居中？
- 胸廓是否左右对称，胸部有无出血、瘀青、局部肿胀？
- 胸壁有无伤口，伤口中有无气泡冒出？
- 胸壁是否有压痛？
- 是否有吸气时胸廓局部塌陷的“反常呼吸”情况？

腹部评估

- 腹部有无出血、瘀青？
- 按压腹肌是否有紧张、压痛，按压腹部后迅速松手是否出现反跳痛？
- 是否有肠等脏器外露？

骨盆和四肢评估

- 挤压骨盆，是否有压痛（图21）？
- 四肢是否有出血、畸形、反常活动、压痛？

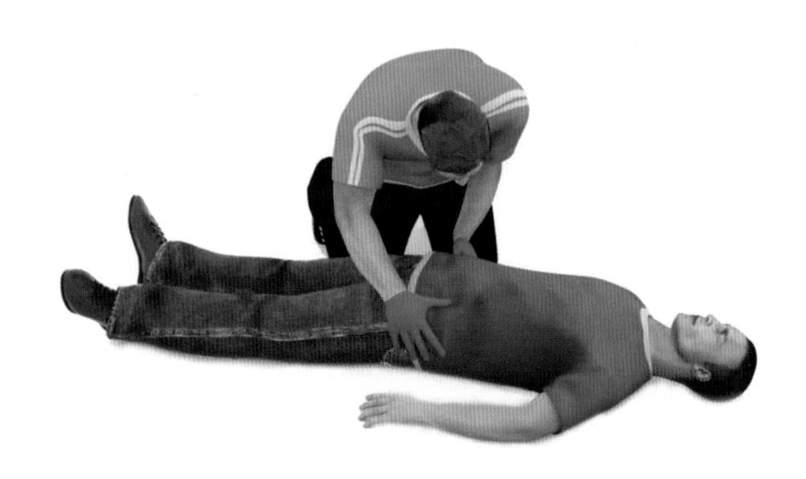

图21 挤压骨盆时疼痛，患者可能有骨盆骨折

背部评估

- 脊柱是否有疼痛、出血、畸形、红肿、压痛、感觉异常?
- 背部是否有出血、瘀血、红肿、压痛?

非创伤患者

对于非创伤患者，施救者进行身体检查，可能发现不了异常，此时更加依赖询问病史。

患者如果出现全身大汗淋漓，烦躁不安，答非所问，表情茫然，面色苍白或者发青、发紫，四肢冰凉或者烫手，持续抽搐，口吐白沫，呻吟声微弱，等等，则表示病情严重。

监测生命体征

生命体征包括意识、呼吸、脉搏、血压、体温。

生命体征能反映患者的病情。从生命体征的变化，可以判断患者的病情是好转还是恶化。所以，施救者要关注患者的生命体征，对于危重症患者，应该每5分钟检查一次生命体征、受伤或者患病部位、救治措施；对于轻症患者，可以每15分钟检查一次生命体征、受伤或者患病部位、救治措施，直至120急救人员到达。

意识

意识状态反映脑的功能。采用AVPU评分法评估患者意识水平，如果患者意识水平降低，如从A到V级，则说明病情在恶化。

呼吸

呼吸频率能反映呼吸系统功能。不同年龄，正常和异常呼吸频率不相同。

正常和异常呼吸频率

年龄	正常呼吸频率（次/分）	异常呼吸频率（次/分）
婴儿	25～50	＜25或＞60
儿童	15～30	＜15或＞35
成年人	10～20	＜8或＞24

呼吸增快

患者呼吸急促、表浅，超过正常值。常见于发热、肺炎、气胸、肋骨骨折等。

呼吸困难

患者感到呼吸费力、烦躁不安、鼻翼扇动、呼吸急促，呼吸时张口抬肩、口唇及面部发黑、大汗淋漓。常见于哮喘、心肌梗死、呼吸道梗阻、休克等，也可见于胸部外伤时发生血胸、气胸等。

呼吸衰竭

患者每分钟呼吸次数在6次以下。常见于脑卒中、休克、镇静催眠药中毒、海洛因中毒等情况。

脉搏

脉搏能反映循环功能状况。

测桡动脉脉搏：施救者用示指、中指和无名指的指腹按在患者手腕横纹靠大拇指一侧，可以摸到桡动脉（图22A）。

如果患者是儿童，可以触摸股动脉。股动脉的位置在大腿内侧，髋骨和耻骨之间，躯干和大腿交汇处的沟中间（图22B）。

如果患者是婴儿，可以检查肱动脉。肱动脉的位置在婴儿的上臂内侧，肘关节和肩关节中间（图22C）。

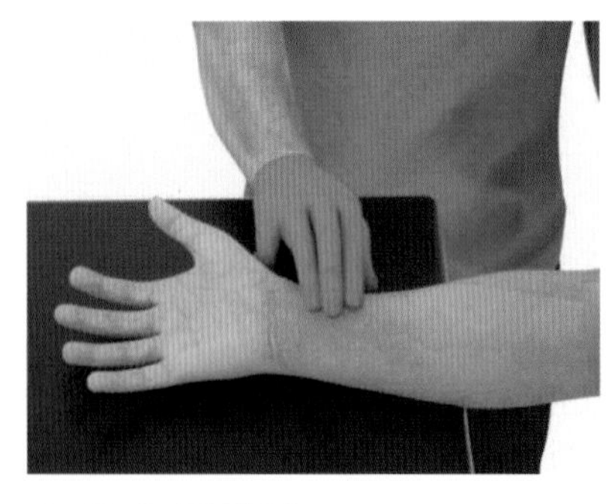

A 检查桡动脉

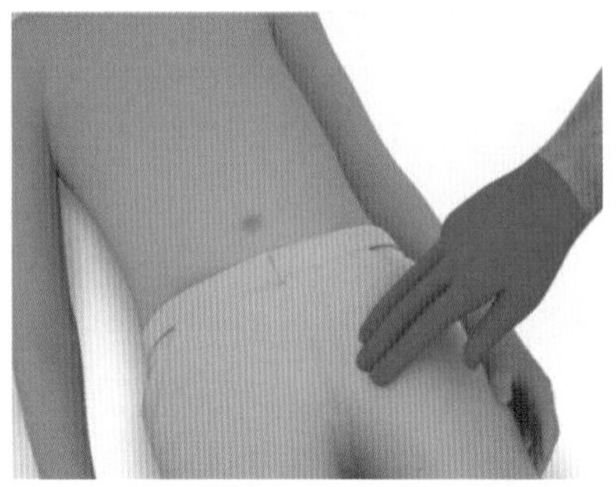

B 检查股动脉

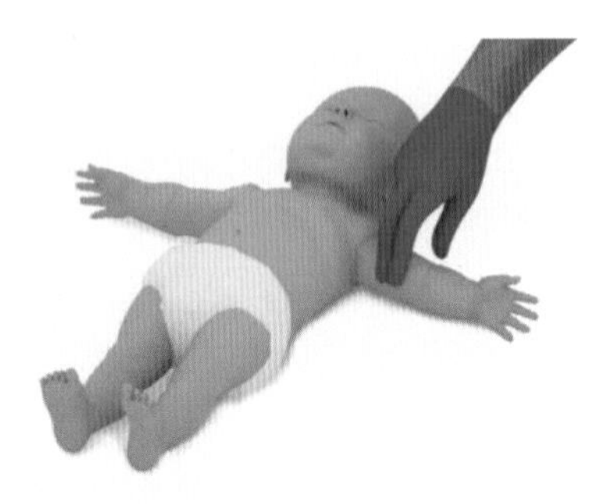

C 检查肱动脉

图22 触摸患者动脉脉搏

检查脉搏是否规律、有力。

通常测量脉搏时间为15秒钟，异常脉搏测量要超过1分钟。

如果脉搏弱、细、速、停止、强弱不等、间断、不规则都提示病情危重。

正常情况下，脉搏次数与心率相同。不同年龄人的正常心率不同。

不同年龄人的正常心率

年 龄	清醒状态下的心率（次/分）
新生儿（1～28天）	100～205
婴儿（28天～1岁）	100～180
幼儿（1～3岁）	98～140
学龄前儿童（3～6岁）	80～120
学龄儿童（6～12岁）	75～118
青少年、成人（12岁以上）	60～100

血压

血压能反映循环系统的功能，通常表示为收缩压/舒张压。收缩压是指人的心脏收缩时，心脏射出的血液对血管内壁产生的压力；舒张压是指人的心脏舒张时，在动脉内的血液靠血管壁的弹力和压力作用继续流动，对血管壁产生的压力。

采用电子血压计可以直接显示收缩压和舒张压的数值，简单、方便、易于操作。

中国人高血压的标准为：在未使用降压药物的情况下，诊室收缩压≥140mmHg和（或者）舒张压≥90mmHg。

根据血压升高水平，将高血压分为1、2、3级。

高血压的分类

分类	收缩压（mmHg）	舒张压（mmHg）
正常血压	<120和	<80
正常高值	120~139和（或）	80~89
高血压	≥140和（或）	≥90
1级高血压（轻度）	140~159和（或）	90~99
2级高血压（中度）	160~179和（或）	100~109
3级高血压（重度）	≥180和（或）	≥110
单纯收缩期高血压	≥140和	<90

不同血压测量方法对应的高血压诊断标准

血压测量方法	诊断标准
诊室血压	收缩压/舒张压≥140/90mmHg
动态血压	24小时平均收缩压/舒张压≥130/80mmHg 白天平均收缩压/舒张压≥135/85mmHg 夜间平均收缩压/舒张压≥120/70mmHg
家庭血压	收缩压/舒张压≥135/85mmHg

如能触到颈动脉搏动表示收缩压不低于60mmHg。
如能触到股动脉搏动表示收缩压不低于70mmHg。
如能触到桡动脉搏动表示收缩压不低于80mmHg。
休克常有血压降低，脑卒中常有血压增高。

体温

人体产热和散热保持动态平衡，体温相对恒定。通常测量口腔、直肠和腋窝的体温，也有耳测法和额测法。直肠体温最接近人体的核心体温。常用的体温计有水银体温计、电子体温计和红外线体温计。

体温正常值：

- 口腔舌下温度正常值为36.3～37.2℃。
- 直肠温度正常值为36.5～37.7℃。
- 腋下温度正常值为36.0～37.0℃。

如果没有体温计，施救者可以用手背触碰患者和自己的额头，比较两者的差别。

以口腔温度为标准，按体温升高的程度将发热分为四种程度：37.3～38℃为低热，38.1～39℃为中度热，39.1～41℃为高热，41℃以上为超高热。

如果体温低，可以通过添加衣物、调高室温或者使用电热毯等方法使躯体升温。要预防低体温，低体温是休克患者死亡的重要原因之一。

如果体温高，要及时降温，比如减衣服、扇风、移至阴凉处，也可以采取湿毛巾擦身、冰敷、冷水浴或者服用降温药物来降温。

注意：

移动患者后、对患者进行治疗后以及当患者病情恶化时，施救者应该重新检查患者的生命体征、受伤或患病部位、救治措施，以掌握患者的病情变化，及时记录，必要时调整施救方案。

第四步 转运和交接

现场，经过施救者的积极、精心、正确救治后，需要转运到医院或者交接给120急救人员。

转运和交接包括以下两个方面：

- 患者的转运和撤离。
- 施救者与120急救人员的交接。

转运和撤离

经现场急救后，患者可能存在以下3种情况，施救者可以撤离：

- 患者好转，神志清楚，自述不需要去医院进行进一步检查、治疗，施救者可以离开现场。
- 患者好转，神志清楚，可以自行前往或者有亲友陪同去医院进行进一步检查、治疗，施救者可以离开现场。
- 120急救人员赶到现场，施救者可以将患者交给专业人员施救。在做好交接后，施救者可以离开现场。

与120急救人员交接

施救者在与120急救人员进行交接时，应说明以下事项：

- 说明了解到的基本情况。告知事情发生的经过，患者的一般状况、生命体征和病史等。
- 说明施救的经过。告知已经进行的救治措施、实施效果、患者的病情变化等。
- 其他事项。移交昏迷患者的随身物品。告知患者亲友的联系方式。告知是否通知了患者亲友，是否呼叫了110、119等。

现场急救流程

现场评估		
评估环境	是否有可见的危险、持续的危险、潜在的危险	
第一印象	基本情况	性别、年龄、体形、面部表情、体位、发声、活动，陪伴人员等
	伤病机制	内科疾病、外伤、交通事故、动物咬伤、中毒、电击、淹溺等
	患者人数	已有的患者、潜在的患者和重症、轻症患者
资源和支援	资 源	现有的急救设备，AED、急救箱，施救者，个人防护装备
	支 援	更多的人、特殊救援设备、专业救援人员
快速施救		
大出血	对致命性的大出血进行止血、包扎	
意 识	AVPU，表明身份（呼救更多人帮忙，呼叫120，颈椎保护）	
气 道	外伤，血液、呕吐物，打鼾声，气过水声，哮鸣音（开放、清理）	
呼 吸	呼吸频率、呼吸力度、胸部运动的对称性，喘息声，哮鸣音（人工呼吸、给氧）	
循 环	外出血，脉搏，嘴唇、皮肤颜色、温度，压迫指甲甲床（对出血的伤口止血、包扎）	
详细检查		
询问病史	事情经过	事情如何发生的
	主要症状	最疼、最不舒服的地方，最需要什么帮助
	服药史	何时服药，何种药物，服药量，是否有效
	既往史	有无高血压、糖尿病、哮喘、抽搐史
	过敏史	何种食物、药物过敏
	进食史	何时进食，食物的种类和量，何时大小便，有无异常
身体检查	头部	出血、畸形、红肿、压痛，耳、鼻漏，熊猫眼，口腔异物
	颈部和胸部	出血、畸形、红肿、压痛，反常呼吸
	腹 部	出血、瘀血，肌肉紧张、压痛、反跳痛，脏器外露
	骨盆和四肢	出血、畸形、红肿、压痛，反常活动
	背 部	出血、畸形、红肿、压痛，感觉异常
生命体征	意 识	AVPU
	呼 吸	呼吸增快、呼吸困难和呼吸衰竭
	脉 搏	节律性、力度
	血 压	升高、降低
	体 温	升高、降低
对于危重症患者，应该每5分钟检查一次生命体征、受伤或者患病部位、救治措施		
对于轻症患者，应该每15分钟检查一次生命体征、受伤或者患病部位、救治措施		
移动患者后、对患者进行治疗后以及当患者病情恶化时，应该重新检查患者的生命体征、受伤或患病部位、救治措施		
转运和交接		
转 运	自行离开，自行去医院，120转运	
交 接	了解到的基本情况，施救的经过，患者的随身物品，亲友的联系方式	

病情检查与治疗笔记

<table>
<tr><td>姓 名</td><td></td><td>性 别</td><td></td><td>年 龄</td><td></td><td>体 重</td><td></td></tr>
<tr><td>联系人</td><td></td><td>电 话</td><td colspan="3"></td><td>是否联系</td><td></td></tr>
<tr><td rowspan="3">现场评估</td><td>评估环境</td><td colspan="6"></td></tr>
<tr><td>第一印象</td><td colspan="6"></td></tr>
<tr><td>资源和支援</td><td colspan="6"></td></tr>
<tr><td rowspan="6">快速施救</td><td>内 容</td><td colspan="2">检查结果</td><td colspan="4">处置方法</td></tr>
<tr><td>出 血</td><td colspan="2"></td><td colspan="4"></td></tr>
<tr><td>意 识</td><td colspan="2"></td><td colspan="4"></td></tr>
<tr><td>气 道</td><td colspan="2"></td><td colspan="4"></td></tr>
<tr><td>呼 吸</td><td colspan="2"></td><td colspan="4"></td></tr>
<tr><td>循 环</td><td colspan="2"></td><td colspan="4"></td></tr>
<tr><td rowspan="16">详细检查</td><td rowspan="6">询问病史</td><td>事情经过</td><td colspan="5"></td></tr>
<tr><td>主要症状</td><td colspan="5"></td></tr>
<tr><td>服药史</td><td colspan="5"></td></tr>
<tr><td>既往史</td><td colspan="5"></td></tr>
<tr><td>过敏史</td><td colspan="5"></td></tr>
<tr><td>进食史</td><td colspan="5"></td></tr>
<tr><td rowspan="5">身体检查</td><td>头 部</td><td colspan="5"></td></tr>
<tr><td>颈胸部</td><td colspan="5"></td></tr>
<tr><td>腹 部</td><td colspan="5"></td></tr>
<tr><td>骨盆和四肢</td><td colspan="5"></td></tr>
<tr><td>背 部</td><td colspan="5"></td></tr>
<tr><td rowspan="5">生命体征</td><td>时 间</td><td>AVPU</td><td>呼 吸</td><td>脉 搏</td><td>血 压</td><td>体 温</td></tr>
<tr><td></td><td></td><td></td><td></td><td></td><td></td></tr>
<tr><td></td><td></td><td></td><td></td><td></td><td></td></tr>
<tr><td></td><td></td><td></td><td></td><td></td><td></td></tr>
<tr><td></td><td></td><td></td><td></td><td></td><td></td></tr>
<tr><td rowspan="4">救治经过</td><td colspan="7"></td></tr>
<tr><td colspan="7"></td></tr>
<tr><td colspan="7"></td></tr>
<tr><td colspan="7"></td></tr>
<tr><td rowspan="3">交 接</td><td colspan="7"></td></tr>
<tr><td colspan="7"></td></tr>
<tr><td colspan="7"></td></tr>
<tr><td colspan="2">患者或者亲友签字</td><td></td><td>施救者签字</td><td colspan="2"></td><td>日 期</td><td></td></tr>
</table>

第三篇 心肺复苏

学习目标

阅读完本篇后，我们应该：

了解心肺复苏的一般概念

了解院外心脏骤停生存链

掌握心肺复苏的实施步骤

掌握胸外按压技术

掌握人工呼吸技术

掌握何时可以终止心肺复苏

一般概念

心肺复苏（cardio-pulmonary resuscitation，简写CPR），是用于抢救由急性心肌梗死、脑卒中、严重创伤、电击伤、淹溺、踩踏伤、中毒等各种原因引起心脏骤停的患者的一种急救方法。

心肺复苏的作用

心肺复苏通过胸外按压和人工呼吸，促进血液流动和气体交换，使脑和心脏等重要器官有血流供应，以利于尽快恢复心跳、呼吸和意识。

高质量的胸外按压可使患者的血流量达到正常血流量的25%～33%。

黄金四分钟

在室温条件下，心脏骤停后，由于供应大脑的血液突然中断，患者表现为：

- 10秒左右会出现意识丧失，突然倒地。
- 60秒左右自主呼吸逐渐停止。
- 3分钟后开始出现脑水肿。
- 4分钟后脑细胞开始死亡，发生不可逆的脑损伤。
- 10分钟后开始过渡到脑死亡。

因此，在4分钟内对心脏骤停患者实施心肺复苏，可以最大程度地保护脑细胞，提高抢救成功率。所以，患者心脏骤停后的4分钟被称为医学抢救的“黄金四分钟”（图23）。

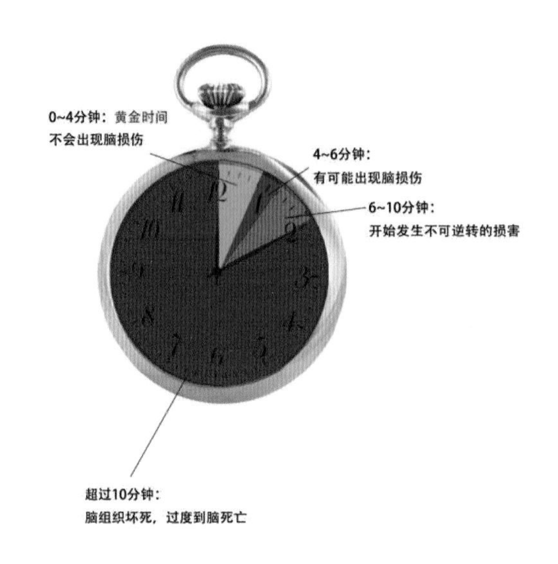

图23 黄金四分钟

院外心脏骤停生存链

心脏骤停患者的抢救过程由一系列相对独立又紧密衔接的急救步骤组成，称为心脏骤停生存链，一般分为医院内和医院外两类，而院外心脏骤停生存链又分为成人和儿童两种。

本书所指的成人为青春期（男性的胸部或腋下出现毛发以及女性乳房发育）及以上年龄的人，儿童为1岁至青春期的人，婴儿指出生28天后至1岁的人。

成人院外心脏骤停生存链

美国心脏协会称成人院外心脏骤停生存链包括以下六个环节（图24）：

- 启动应急反应系统。
- 高质量心肺复苏。
- 除颤。
- 高级心肺复苏。
- 心脏骤停恢复自主循环后治疗。
- 康复。

图24 成人院外心脏骤停生存链

儿童院外心脏骤停生存链

美国心脏协会称儿童院外心脏骤停生存链包括以下六个环节（图25）：

- 预防心脏骤停。
- 启动应急反应系统。
- 高质量心肺复苏。
- 高级心肺复苏。
- 心脏骤停恢复自主循环后治疗。
- 康复。

图25 儿童院外心脏骤停生存链

注意：

成人常因心脏自身原因而发生心脏骤停，如心肌梗死。儿童常因呼吸问题和创伤发生心脏骤停，例如气道异物梗阻、淹溺、交通事故等。所以对于儿童而言，看护好儿童以预防心脏骤停更为重要。

生存链的意义

生存链的六个环节相互联系、环环相扣，定义了第一目击者、调度员、120院前急救人员、医院内医务人员共同为抢救生命进行有序的工作。每一个环节都极其重要，直接影响急救成功率。

在这六个环节中，第一、第二、第三个环节都可以由接受过急救培训的非医学专业人员完成。

时间就是生命，当有人发生心脏骤停时，拯救生命从第一目击者开始！

心肺复苏的实施步骤

对无反应、无呼吸或仅有濒死叹息样呼吸的患者实施心肺复苏，有完整的操作步骤。施救者应该按照步骤进行操作，避免出现“该按的不按、不该按的使劲按”的情况。

心肺复苏的实施步骤包括以下四步：

- 第一步 现场评估
- 第二步 快速判断
- 第三步 心肺复苏
- 第四步 终止复苏

第一步 现场评估

发现有人异常，如突然倒在地上或倒在座位上后，一动不动，应迅速进行现场评估，现场安全的情况下，靠前查看发生了什么事情。

环 境

边走边看，上下左右前后观察事发现场周围环境是否安全。确保周围环境安全的情况下，迅速靠近患者（图26）。

图26 边走边看，迅速进行现场评估

第一印象

在靠近患者过程中，评估患者基本情况（患者性别、年龄、体形、面容表情、体位、自主活动）和发生异常情况（倒在地上、倒在座位上）的原因。

资源和支援

评估现场是否有可用的急救资源。附近是否有AED和急救箱，周围是否有可以提供帮助的人。

第二步 快速判断

迅速判断患者的意识、气道、呼吸和循环情况，立即施救。

意 识

采用“轻拍重唤看反应”的方法判断患者的意识。

施救者边正面靠近患者，边大声询问：“喂，您怎么了，您需要帮助吗？”如果患者倒在地上无回复，用双手轻轻拍打患者的双肩，大声呼喊:“喂，您怎么了，快醒醒！”同时观察患者的面部、肢端是否有反应，综合判断患者的意识状况。如果知道患者的名字，可以直呼其名（图27A）。

如果患者是婴儿，轻拍患儿足底，观察患儿是否有动作、发声等反应（图27B）。

A 拍打成人和儿童的双肩判断意识

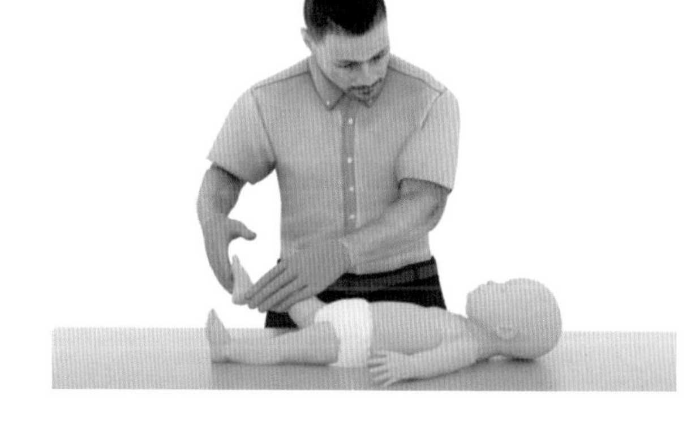

B 拍打婴儿的足底判断意识

图27 采用“轻拍重唤看反应”的方法，判断意识

注意：

施救者拍打肩部时用力不要过大，以防加重骨折等损伤。拍打和呼喊时间不要过长，应控制在10秒钟内。

呼叫求助

如果患者没有意识，施救者应立即大声呼喊，叫更多的人来帮忙。

如果没有人来帮忙，则施救者呼叫120，并将手机置于免提模式，边大声报警边急救。

如果有多人帮忙，施救者进行急救，并指定一人请其呼叫120，另一人寻找AED和急救箱（图28）。

图28 呼喊更多人来帮忙，呼叫120

气道和呼吸

施救者应同时、迅速判断患者气道是否通畅、呼吸是否存在。施救者来回扫视患者头部和胸腹部，观察患者是否有正常呼吸（图29）。判断时间5～10秒钟。

如果在5～10秒钟内，施救者没有观察到患者胸腹部起伏，可以认为患者无呼吸。

如果在5～10秒钟内，施救者观察到患者呼吸有以下情况，表示患者呼吸衰竭，处于濒死状态，称为濒死叹息样呼吸：患者呼吸不规则，出现叹气样（呼吸时伴有叹息声）、点头样（吸气时深、长，头向后仰；呼气时短促，头向前倾恢复原位）呼吸，呼气和吸气之间可能有短暂停顿，呼吸可能有力或微弱，呼吸频率较慢。

如果患者无呼吸或仅有濒死叹息样呼吸，施救者需要立即开始心肺复苏。

如果患者是儿童和婴儿，施救者没有手机，不能立即呼叫120，则施救者应该立即给予2分钟的心肺复苏，然后再离开儿童或者抱着婴儿，找附近的人帮忙呼叫120、取来AED和急救箱，然后再继续进行心肺复苏。

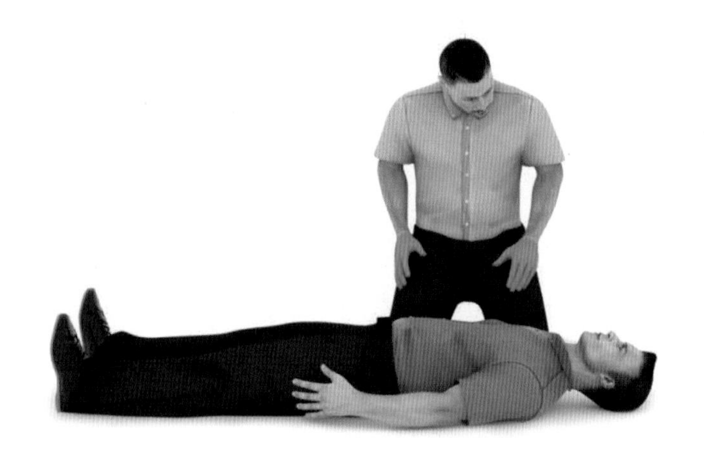

图29 采用扫视患者胸部的方法，判断呼吸

注意：

判断呼吸的时间至少要5秒钟，但不要超过10秒钟。如果施救者不能确定患者是否有呼吸，应视为无呼吸，要立即开始心肺复苏。

宁可给不需要心肺复苏的人进行心肺复苏，也不要因为犹豫而使需要心肺复苏的患者没有得到心肺复苏。

循环

非专业施救者不需要判断患者颈动脉搏动，以争取尽快对无反应、无呼吸者进行心肺复苏。

专业施救者应在观察气道和呼吸的同时，检查患者的大动脉，看是否有搏动。

如果患者是成人，应该检查颈动脉，判断颈动脉是否有搏动。颈动脉在气管和颈部肌肉的沟内（图30A）。

如果患者是儿童，应该检查颈动脉或者股动脉，判断颈动脉或者股动脉是否有搏动。股动脉的位置在大腿内侧，髋骨和耻骨之间，躯干和大腿交汇处的沟中间（图30B）。

如果是婴儿，应该检查肱动脉，判断肱动脉是否有搏动。肱动脉的位置在婴儿的上臂内侧，肘关节和肩关节中间（图30C）。

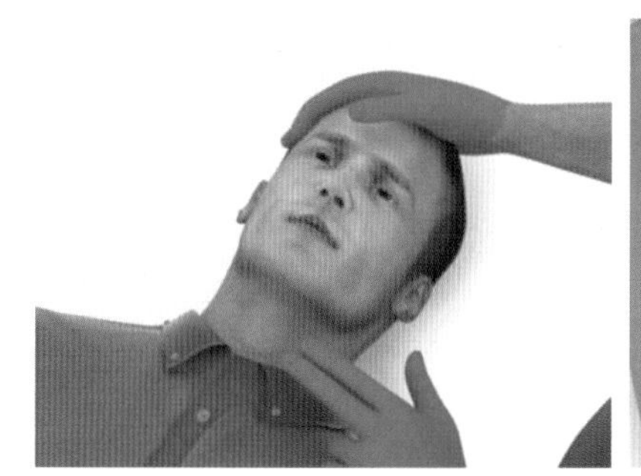

A 检查颈动脉

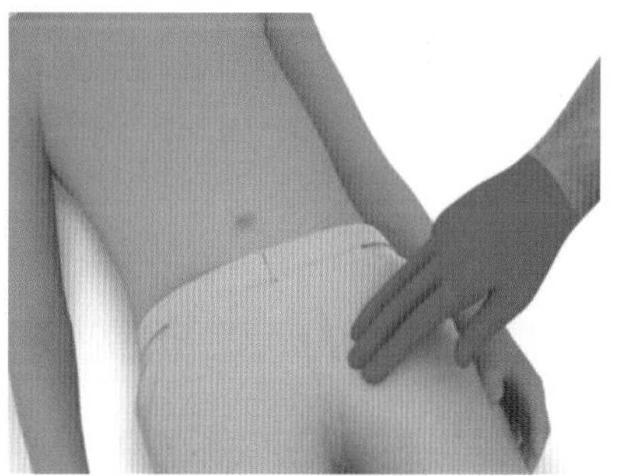

B 检查股动脉

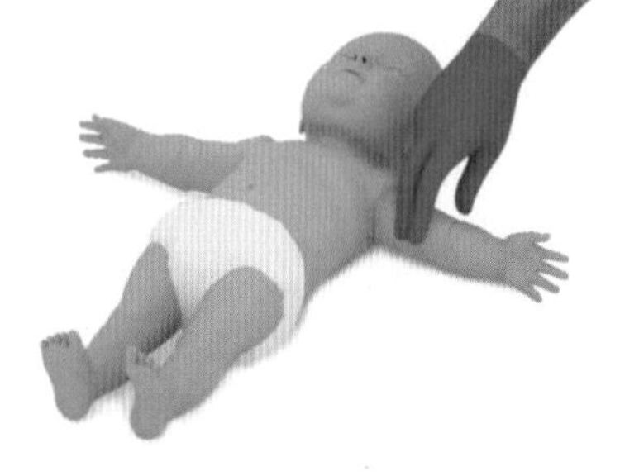

C 检查肱动脉

图30 判断脉搏

如果专业施救者检查发现，儿童和婴儿没有正常呼吸，有脉搏但是脉搏小于或等于每分钟60次且伴有血流灌注不足的体征，则施救者应立即进行心肺复苏。

第三步 心肺复苏

患者无反应、无呼吸或仅有濒死叹息样呼吸，施救者应立即进行心肺复苏。

摆放体位

迅速将患者置于坚硬的平面上，解开患者的颈扣、领带、外套、女性的胸罩、剪开或者掀起紧身衣等影响呼吸的障碍物，双臂伸直放在身体两侧，双腿伸直，摆放成复苏体位（图31）。

图31 将患者摆放成复苏体位

如果患者面部朝下，施救者要把患者翻转成仰卧位。翻转方法如下：

- 施救者跪在患者便于翻转的那一侧，把患者双手拉向头顶伸直，双腿伸直，双踝部交叉叠放（图32A）。
- 施救者一只手保护患者颈部，另一只手抓住患者腋下，向施救者这侧保持患者身体轴心在一条直线上进行翻转（图32B）。
- 翻转后将患者放置为心肺复苏体位（图32C）。

A 翻转前姿势　　B 翻转时姿势　　C 翻转后姿势

图32 如果患者俯卧，要翻转患者呈复苏体位

进行心肺复苏时，要将患者尽可能地平卧在坚固的平坦表面上，如地板、木板床或者按压背板上。

如果患者躺在柔软的弹簧床、沙发上时，施救者要把患者移到地上。

如果患者躺在水坑中，施救者要把患者移出水坑，并在不影响心肺复苏的前提下，除去湿衣物，擦干身体。

胸外按压

施救者按压患者的胸部，通过增加胸腔内的压力和（或）直接压迫心脏，使心脏被动收缩，挤压血液到血管，然后通过放松胸廓，使血液由于负压的作用回流到心脏。如此反复，促进血液在血管内流动，形成血液循环。

施救者体位

施救者跪于患者一侧，左侧、右侧都可以，只要那一侧是安全的。如果两侧都安全，一般选择跪在患者的右侧，更方便操作。如果患者躺在床上，施救者可以站在床的一侧，如果施救者不够高，可以跪在床上，或者增加合适高度的脚踏板。如果现场环境有限，施救者也可以采取变通的体位。

施救者跪姿时，双膝与双肩同宽，身体一侧与患者肩部平齐，距离患者一拳的宽度以方便操作（图33）。

图33 施救者的抢救位置

按压部位

成人和儿童的按压部位在胸部中央的胸骨的下半段，正常男性患者在胸部两乳头连线的中点（图34A）。

婴儿的按压部位在胸部中央的胸骨的下半段，略低于两乳头连线中点（图34B）。

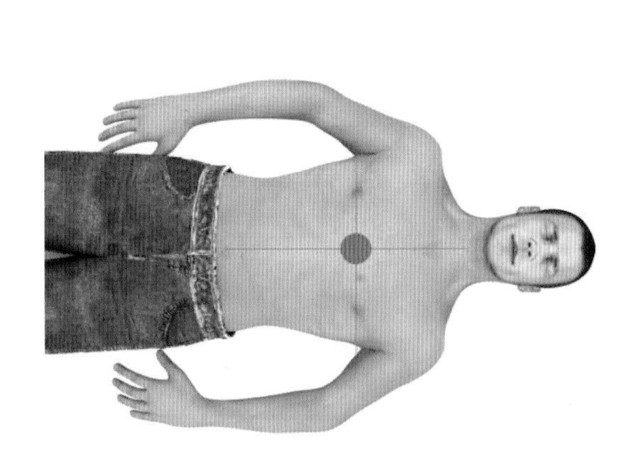

A 成人和儿童的按压部位

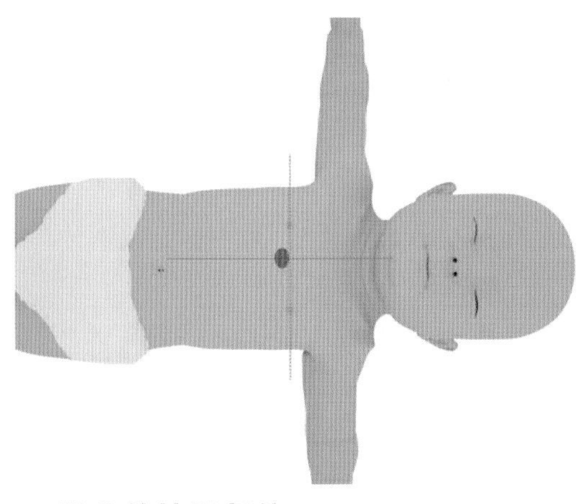

B 婴儿的按压部位

图34 按压部位

按压姿势

施救者上半身前倾，双上肢与患者胸部垂直，双肘关节不能弯曲，以髋关节为支点，腰部发力，借用上半身的重量，通过双臂垂直向下用力、有节奏地匀速按压（图35）。

为成人进行心肺复苏时，施救者一只手的掌根压在胸骨上，再将另一只手的手掌压在该手背上，掌根重叠，双手十指交叉相扣，手指尽量翘起，双臂伸直，以手掌根部接触面为着力点，垂直向下匀速按压（图36）。

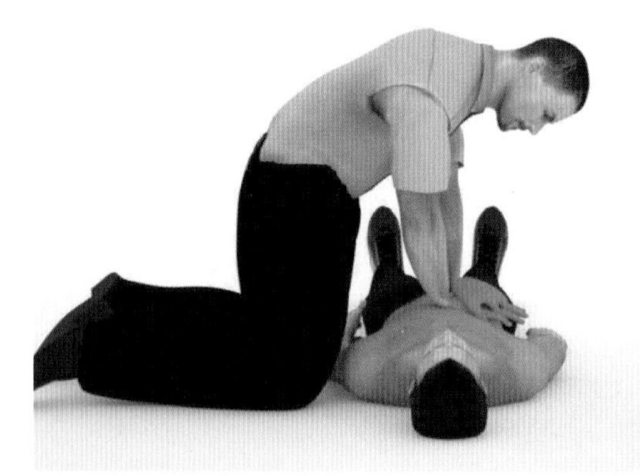

图35 施救者的体位

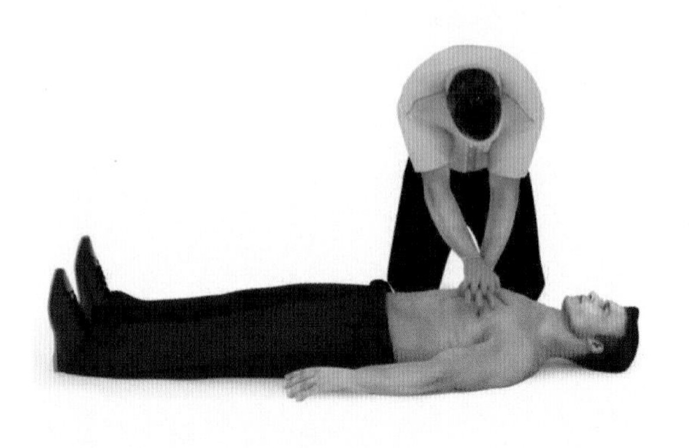

图36 为成人患者按压的姿势

为儿童进行心肺复苏时，可以双手按压，也可以单手按压（图37A）。

为婴儿进行心肺复苏时，采用双指按压技术。施救者的示指和中指并拢，指尖垂直于胸壁进行按压（图37B）。

如果施救者的手有关节病、外伤等，按压时力度不足，可以用另一只手握住按压手的手腕，协同用力按压（图37C）。

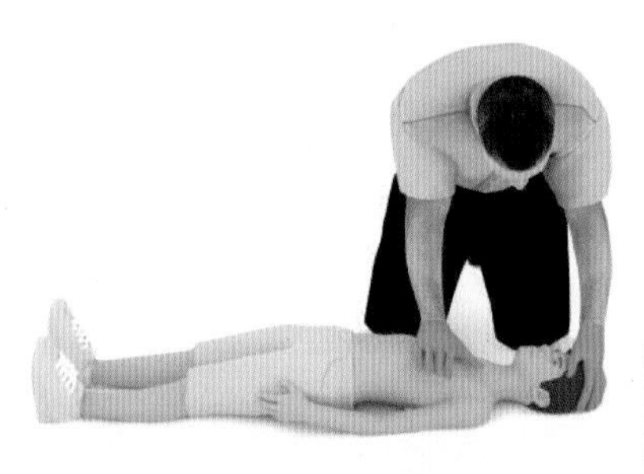

A 为儿童患者按压的姿势

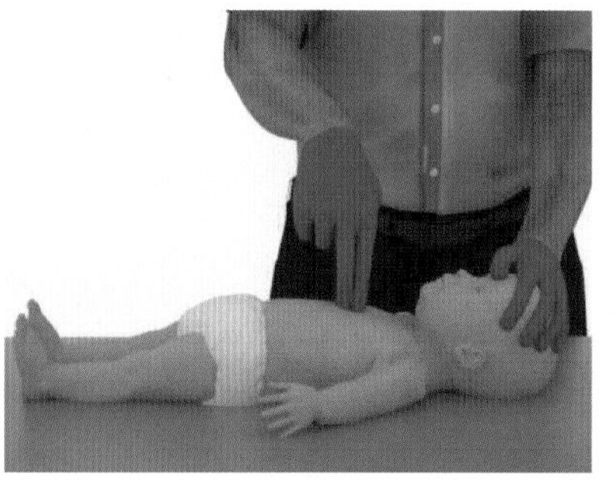

B 为婴儿患者按压的姿势

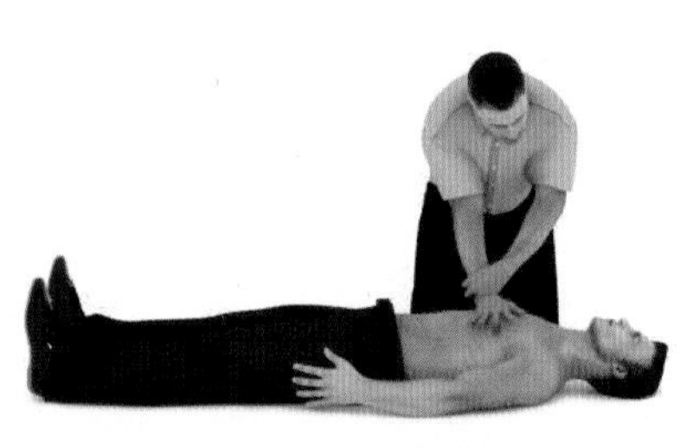

C 替代按压姿势

图37 按压姿势

按压深度

成人胸骨被压下至少5厘米，不要超过6厘米。

儿童胸骨被压下至少为胸部前后径的1/3，或者约5厘米。

婴儿胸骨被压下至少为胸部前后径的1/3，或者约4厘米。

只有足够的按压深度才能使心脏泵出的血液流到全身，过度用力又会造成患者肋骨骨折，适当的按压频率、胸廓充分回弹才能形成良好的血液循环，所以，施救者要反复练习，才能掌握好按压力度。如果有条件使用胸腔按压反馈仪，实时提醒施救者按压深度和频率，就能更好地提高胸外按压质量（图38）。

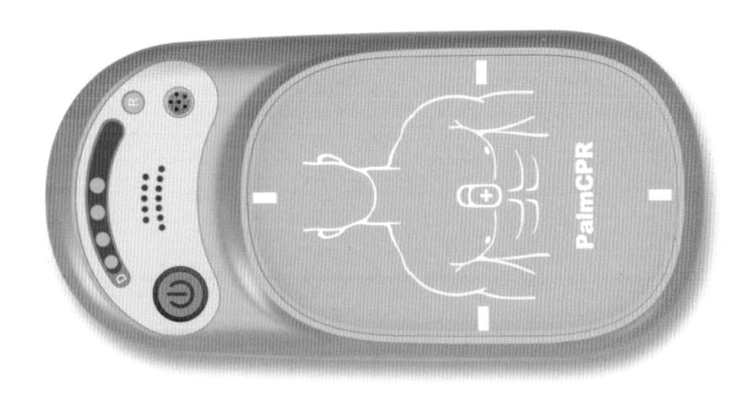

图38 一种胸腔按压反馈仪

按压频率

不论是成人、儿童还是婴儿患者，按压的频率都是每分钟100～120次。

按压时要有节奏，跳跃式、冲击式或者不规则的按压不但效果差，还容易导致患者骨折。

要使胸廓完全回弹

按压后抬起手臂使胸廓回复到原来的位置。手臂压下时，血液从心脏流向大脑和肺部（图39A）；手臂抬起时，胸腔形成负压，血液从外周流向心脏（图39B）。通过按压和抬起，使血液在血管内形成循环。胸廓回弹不完全将影响血液回流到心脏。

胸外按压时，按压和放松的时间应大致相同。

放松时不要让手掌离开患者胸壁，以免移位。

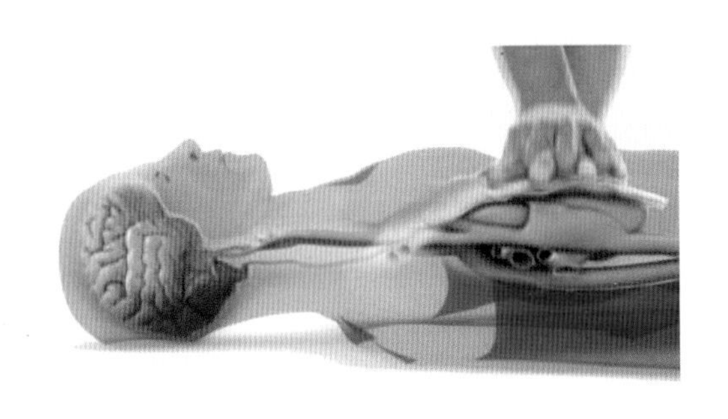

A 按下胸部时

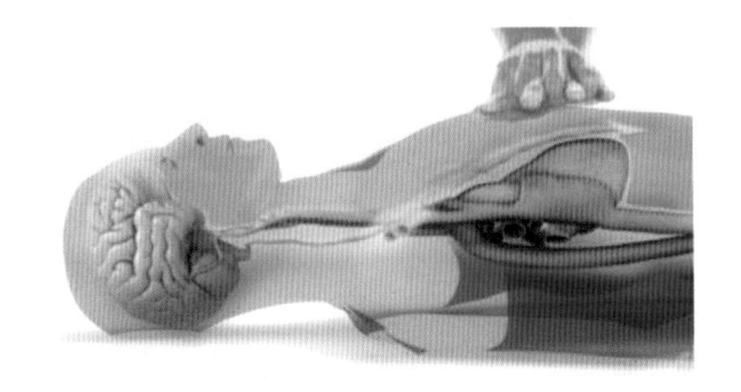

B 松开胸部时

图39 按压时要使胸廓完全回弹

不要中断按压

每次中断按压，心脏和大脑的血流都会显著减少。需要再进行多次按压后，才能重新恢复血液流动至中断前的水平。因此，胸外按压应该持续进行，尽量不要中断按压。

注意：

如果必须要中断按压，则中断时间不要超过10秒钟。

人工呼吸

空气中含氧气量约为21%，施救者呼出的气体中含氧气量约为17%，所以施救者可以通过人工呼吸为患者供氧。

清理口腔

如果患者口腔中有血液、呕吐物、泥沙、土块、痰液等，必须先清理干净。

施救者一只手的拇指和示指将患者的下颌打开，另一只手的示指从患者口角的一侧伸入口腔和咽部，迅速从另一侧勾出异物（图40）。切记手指不能在患者口腔内搅动。

如果患者没有明显的头颈部外伤，施救者可以双手扶住患者的脸颊，轻柔地把患者的头偏向自己的一侧，这样更加方便清除口腔异物。

如果患者有松动的单个假牙、义齿，应提前取出，防止开放气道时掉入气道引起梗阻。但是不要取下固定良好的整套假牙，以维持口腔空间。

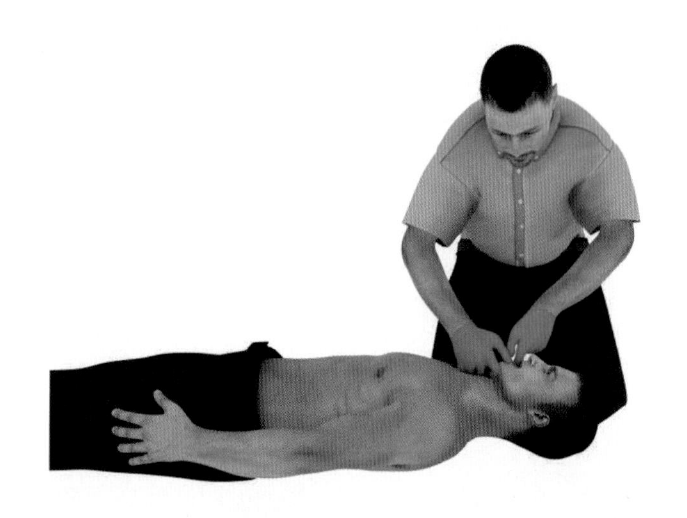

图40 清理口腔异物

开放气道

通过手法，使患者头部后仰，带动舌根从咽喉后部抬起，使气道通畅，便于通气。

通常采用抬头举颏法开放气道，方法如下：

- 施救者位于患者一侧，一只手的手掌小指侧固定在患者前额眉毛上方，用力向下压。
- 另一只手的示指和中指并拢放在患者下颌正中稍偏向施救者一侧的骨缘下面，将颏部向上提，使其头后仰。

如果是成人，使下颌尖、耳垂连线与地面垂直成90°（图41A）。

如果是儿童，使下颌尖、耳垂连线与地面成60°（图41B）。

如果是婴儿，使下颌尖、耳垂连线与地面成30°。不要过度后仰头部，这样可能会使婴儿的气道阻塞（图41C）。

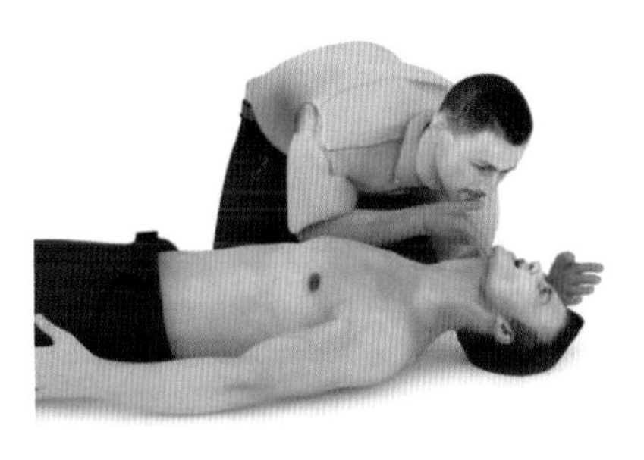

A 成人气道开放角度

B 儿童气道开放角度

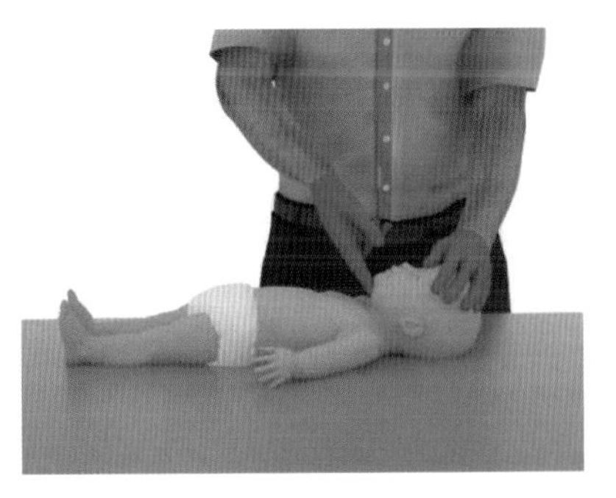

C 婴儿气道开放角度

图41 抬头举颏法开放气道

注意：

开放气道时，手指不要压迫颈部和颏下的软组织，以免阻塞气道。

人工通气

非专业施救者通常采用口对口人工呼吸和口对鼻人工呼吸进行人工通气。

口对口人工呼吸是向患者提供氧气最方便、最简单且有效的通气方法。

口对鼻人工呼吸主要用于不能经患者的口腔进行通气的患者。如患者的口部不能张开、口腔严重损伤等。

如果患者是婴儿，可以将婴儿的口鼻一起包住，实行口对口鼻通气。

口对口人工呼吸方法如下（图42）：

- 施救者位于患者一侧，一只手压住前额保持患者气道通畅，拇指和示指捏住患者的鼻翼柔软的部分，使鼻腔封闭。
- 另一只手的拇指和示指打开患者下颌，张开口部。
- 施救者正常吸一口气，张开口包住患者的口部，平稳吹气。
- 吹气时，眼睛观察患者胸部是否有起伏。
- 吹完气后，施救者的口部离开患者，捏鼻子的手指松开，让患者自然呼气。
- 重复吹气的动作，给患者吹第二口气。

口对口人工呼吸时要注意以下操作要点：

- 吹气时间大约1秒钟，不能太快和太慢。
- 吹气时要捏住患者鼻腔，吹气间歇时要松开手指。
- 如果吹气不成功，没有看到患者胸廓起伏，应重新开放气道，再吹气。
- 尽量在10秒钟内进行两次有效的人工呼吸。
- 看到患者胸部隆起即可停止吹气，避免吹气过多。

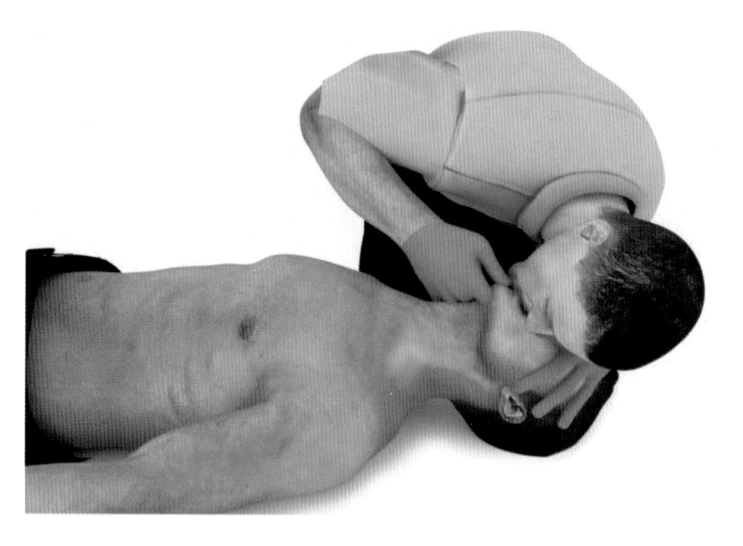

图42 无防护的口对口人工呼吸

注意：

吹气过多、过快，都容易导致患者胃胀气。胃胀气时，可能出现胃内容物反流，进入气道引起窒息或吸入性肺炎。同时，胃胀气后，使膈肌上抬，胸腔内压力增大，会限制肺的运动和血液回心。

使用便携面罩

人工呼吸时，可以使用呼吸面膜或者便携面罩作为标准防护，便携面罩的防护效果更好。便携面膜有一个单向阀门，可以阻止患者呼出的气体、血液或体液进入施救者的口腔，能更好地保护施救者。

使用便携面罩进行人工呼吸的方法如下（图43）：

- 施救者位于患者一侧，将面罩放在患者面部，上端盖过鼻梁，下端覆盖下唇。
- 位于患者头顶的手的拇指和示指分开包围住通气口并放在面罩边缘，用力向下压。
- 另一只手的拇指放在面罩下端，封闭面罩下端。其余手指放在下颌骨缘，稍用力向上提起下颌。
- 吹气时间大约1秒钟，使患者胸廓隆起。

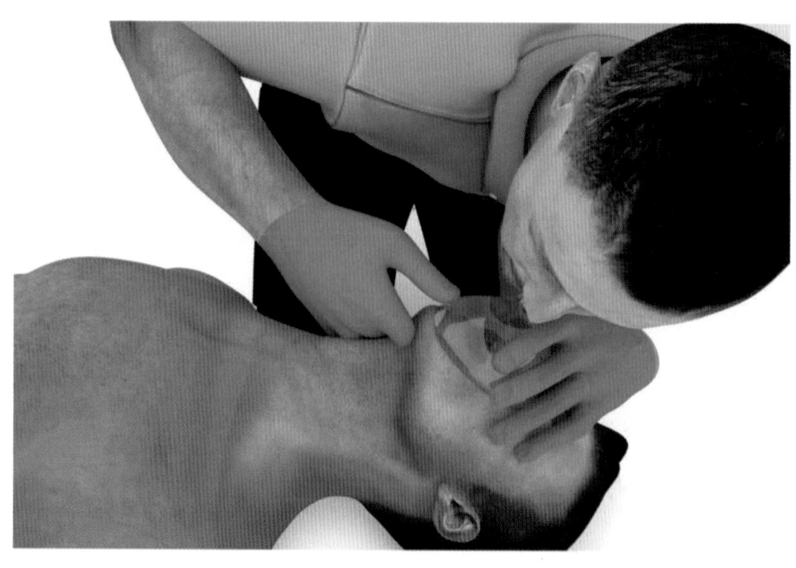

图43 使用便携面罩进行人工呼吸。

注意：

施救者直接给予口对口人工呼吸，通常也是安全的，感染疾病的几率很小。但如果施救者因担心存在感染疾病的风险而不愿意对患者实施口对口人工呼吸，那么仅进行胸外按压，也比什么都不做要好。

按压与呼吸的比例

如果患者是成人，不管施救者是单人还是双人，心肺复苏时，都是进行30次胸外按压，再进行2次人工呼吸，接着再循环以上步骤，即胸外按压和人工呼吸的比例为30:2。

如果患者是儿童和婴儿，单人施救时胸外按压和人工呼吸的比例为30:2，而双人施救时胸外按压与人工呼吸的比例为15:2。

双拇指环绕法

为婴儿进行心肺复苏，单人施救时可以使用双手指垂直按压，也可以采用双拇指环绕法按压；双人施救时，应采用双拇指环绕法按压。如果不能达到按压深度，还可以使用单手掌根按压。

双拇指环绕法操作方法如下（图44）：

- 将婴儿放在坚硬、平坦的物体表面上。
- 一名施救者将两根拇指并排放在婴儿胸骨下半部。非常小的婴儿，双拇指可以重叠。用双手的拇指挤压胸部，其余四指支撑并固定婴儿的背部。
- 另一名施救者开放患者的气道，并进行人工呼吸。
- 以胸外按压与人工呼吸为15:2的比例施救。

图44 双人施救时，采用双拇指环绕法进行胸外按压

为孕妇进行心肺复苏

如果患者是孕妇，怀孕时间大于20周，子宫底平脐或者以上，在进行心肺复苏时，可以指定一名施救者把隆起的子宫向上提并向左侧推，使子宫移位，以减轻胎儿对下腔静脉的压迫，促进静脉回流，这样可以增加心肺复苏成功率（图45）。

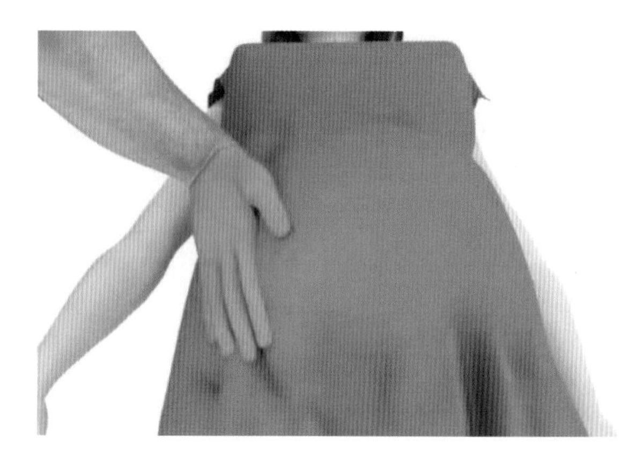

A 单手推子宫　　B 双手推子宫

图45 施救者推动子宫向左移位

多人轮替心肺复苏

胸外按压是一个体力活，施救者容易疲劳。疲劳时按压质量会明显下降，按压效果会变差，所以应及时更换按压者。

如果有多名施救者进行心肺复苏，可以在每做5组心肺复苏循环（每30次按压、2次通气为一个循环）或者按压者感到疲劳时交换胸外按压者，轮替进行。轮换时不要从患者身上跨过。

每次交换按压者时，速度要快，交换时间不要超过5秒钟。

轮换时不要从患者身上跨过。

电话指导心肺复苏

施救者在呼叫120之后，120调度员可能会通过电话，对施救者做心肺复苏进行电话指导。此时，施救者应在120调度员的指导下，逐步进行心肺复苏操作。

第四步 终止复苏

进行心肺复苏时，施救者应该密切观察患者面部、四肢等，以判断心肺复苏是否有效。

终止心肺复苏的条件

心肺复苏应该持续进行，只有遇到以下情况才能终止：

- 心肺复苏成功，患者出现心肺复苏有效的指征。
- 120急救人员到达，交由专业人员进行施救。
- 周围环境变得不安全，危及施救者的生命。

心肺复苏有效的指征

当患者出现以下症状时，施救者应停止心肺复苏，对患者进行复检评估：

- 患者面色、口唇由苍白、青紫变为红润。
- 患者出现眼球活动、手足抽动、呻吟、呕吐。
- 患者有自主呼吸。

复检时，要判断患者意识、气道、呼吸和脉搏。

如果患者恢复呼吸和脉搏，施救者应停止心肺复苏。如果患者恢复心跳，但是呼吸没有恢复，则施救者还需要继续进行人工呼吸。成人人工呼吸的频率为每分钟通气10次，即每6秒钟进行一次人工呼吸。儿童和婴儿人工呼吸的频率为每分钟通气12～20次，即每3～5秒钟通气一次。

心肺复苏成功后处理

没有外伤，经过心肺复苏后心跳、呼吸恢复但意识没有恢复的患者，施救者应将其翻转为复原卧位。

复原卧位翻转方法如下：

- 施救者将靠近自己一侧的患者上肢肘关节屈曲成90°，置于患者头部侧方（图46A）。
- 将患者远离施救者一侧的上肢肘部弯曲置于患者胸前，将患者远离施救者一侧的膝关节屈曲成90°(图46B）。
- 施救者一只手扶住患者远侧肩部，另一只手抓住患者屈曲的膝部，轻轻将患者翻转成侧卧姿势（图46C）。
- 将患者置于胸前的手掌掌心向下，放在面颊下方，再将患者气道轻轻打开（图46D）。

A 屈肘90°

B 屈肘屈膝

C 抓住肩部和膝部翻转

D 置于复原卧位

图46 复原卧位翻转方法

疫情期间的心肺复苏

2020 年世界卫生组织宣布新型冠状病毒肺炎（COVID-19）全球大流行，目前仍在持续。在新型冠状病毒肺炎大流行期间，面对心脏骤停患者，施救者采取以下措施，可以使心肺复苏更加安全有效：

如果有条件，施救者要做好个人防护，应至少佩戴口罩，有条件时应做好完整的个人防护，如戴手套、护目镜或防护面屏，穿隔离衣等。

施救者在评估气道、呼吸、循环时，不建议开放气道，也不要把脸贴近患者的口鼻旁边。对于成年人可以考虑将手放在患者胸前评估呼吸，评估儿童呼吸时可考虑将手放置在儿童腹部。

如果患者无反应且呼吸不正常，施救者应立即呼救，拨打120急救电话。

如果患者是成年人，施救者至少应该进行胸外按压；如果患者是儿童和婴儿，因为他们的呼吸骤停发生率较高，施救者应该进行胸外按压并考虑人工呼吸。

如果患者是成年人，在实施心肺复苏前，施救者可以将一块布或毛巾盖在患者口鼻上，进一步减少感染风险。如果患者是儿童和婴儿，则建议施救者将布或毛巾更换为外科口罩，因为布或毛巾会因压力出现潜在的气道阻塞和气流受阻的风险。

因为电除颤不是高度产生气溶胶的操作，所以如果现场有AED，施救者应尽快使用。

施救者在实施心肺复苏后，应按照医疗急救中心的建议进行清洗、消毒，例如尽快用肥皂和水彻底洗手，或用含酒精的消毒凝胶消毒双手，并联系当地卫生主管部门查询被救者的新型冠状病毒肺炎筛查情况。

心肺复苏流程与不同年龄人的心肺复苏的区别

步骤	内容	成人（青春期以后）	儿童（1岁至青春期）	婴儿（28天至1岁）
现场评估	环境	确保现场环境安全		
	第一印象	患者的基本情况		
	资源和支援	附近有无人帮忙，有无AED和急救箱		
快速判断	意识	轻拍重唤看反应，拍打双肩		呼喊并拍打足底
	呼叫求助	呼喊更多的人来帮忙，呼叫120，取来AED和急救箱		
	气道和呼吸	来回扫视患者头部和胸腹部，患者无呼吸或仅有濒死叹息样呼吸		
	循环（专业人士）	颈动脉	颈动脉或股动脉	肱动脉
开始心肺复苏	已有人呼叫120	立即开始心肺复苏		
	没有人呼叫120，施救者独自一人，且没有手机	离开患者，呼叫120和取得AED，再开始心肺复苏	先进行2分钟心肺复苏，再离开患者去呼叫120和取来AED	先进行2分钟心肺复苏，再抱着患者去呼叫120和取来AED
胸外按压	摆放体位	放在坚固的平坦表面上，摆放成心肺复苏体位		
	按压部位	胸骨下半段		胸骨下半段，略低于两乳头连线中点
	按压姿势	双手按压	双手或者单手按压	双指垂直按压、双拇指环绕法按压或单手按压
	按压深度	至少5厘米，不要超过6厘米	至少胸部前后径的1/3，或者约5厘米	至少胸部前后径的1/3，或者约4厘米
	按压频率	每分钟100～120次		
	胸廓回弹	每次按压后，都让胸廓完全回弹		
	中断时间	尽量减少中断，每次中断时间不超过10秒钟		
	轮替按压	每做5个心肺复苏循环（约2分钟），或按压者感到疲劳时，要交换按压者，交换时间不要超过5秒钟		
人工呼吸	清理口腔	清除口腔异物		
	开放气道	抬头举颏法，使下颌尖、耳垂连线与地面成90°	抬头举颏法，使下颌尖、耳垂连线与地面成60°	抬头举颏法，使下颌尖、耳垂连线与地面成30°
	人工通气	口对口人工呼吸		口对口鼻人工呼吸
		通气2次，每次吹气持续约1秒钟，看到胸廓隆起即可		
按压/吹气比例	单人	胸外按压与人工呼吸30:2的比例进行		
	双人	30:2的比例进行	15:2的比例进行	
心肺复苏持续进行，直到复苏成功，或者120急救人员到达现场。如果复苏成功，将患者置于复原卧位				

第四篇 自动体外除颤器的使用

学习目标

阅读完本篇后，我们应该：
了解自动体外除颤器的一般概念
掌握自动体外除颤器的使用步骤
掌握粘贴电极片的部位
掌握心肺复苏和电除颤如何配合

一般概念

自动体外除颤器（automated external defibrillator，简写AED），是能自动识别患者是否有需要电击除颤的心律，并可以实施电除颤的仪器。

AED可分为半自动AED（图47A）和全自动AED（图47B）。二者的区别在于是否需要施救者按下放电键实施除颤。半自动AED有放电键，如果患者需要进行电击，施救者要按放电键才能放电。如果施救者在一定时间内（十几到几十秒，AED品牌不同，设置的时间长短不同）没有按放电键，半自动AED会取消放电。全自动AED没有放电键，如果患者需要进行电击，机器会自动放电。

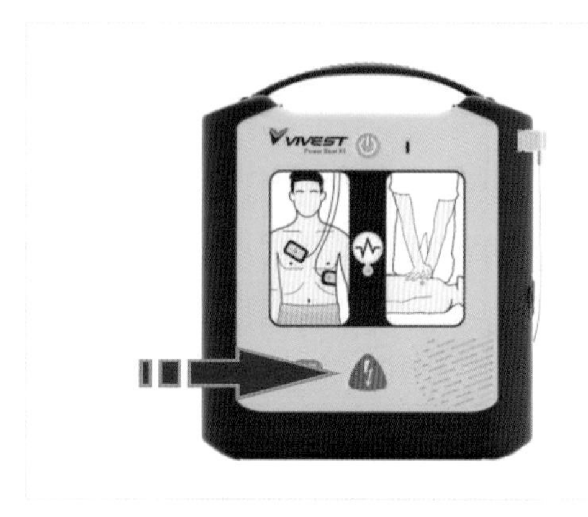

A 半自动AED

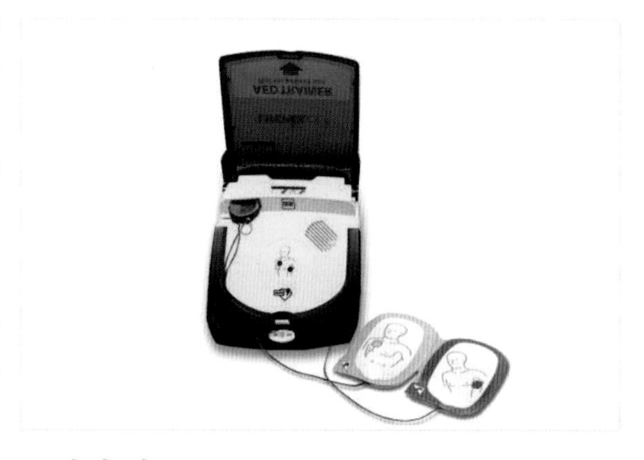

B 全自动AED

图47 不同模式的AED

AED的作用

据统计，在发生心脏骤停的患者中，有65%～85%的心律失常是心室颤动，而治疗心室颤动最有效的方法是电除颤。

时间是治疗心室颤动的关键。发生心脏骤停后10分钟内，每延迟除颤1分钟，患者抢救成功率下降7%～10%。

心肺复苏和AED的早期配合使用，是抢救心脏骤停患者最有效的手段。

AED操作简单、便于携带，可供经过急救培训的非医学专业人员使用。

AED放置在哪里

现在，我国越来越多的公共场所放置了AED。这些公共场所包括机场、地铁、商场、公园、酒店、会展中心、运动场、医院、学校、景区等。

AED通常装在一个箱子里，挂在墙上，或者放在地面醒目的位置。放置AED的箱子标有“AED”以及心形放电图标（图48）。

如果当地配备了AED，施救者或许可以通过手机社交APP（如微信）的城市服务、某些电子地图、当地城市120的宣传平台找到AED。

如果施救者不清楚当地或者附近是否有AED，可以咨询当地急救中心、红十字会或者其他应急管理部门。

图48 大多数AED都是这样放置在公共场所的

AED的构成

AED有多种品牌和外形，使用起来可能存在些许差异，但其基本的操作步骤都是一致的。AED机器的醒目位置都会绘有操作步骤图示，打开AED电源后都有语音提示，施救者按照图示和语音提示即可正确操作AED。

AED由主机和电极片两部分组成。也有一些品牌的AED电极片与主机预先已连接在一起（图49）。

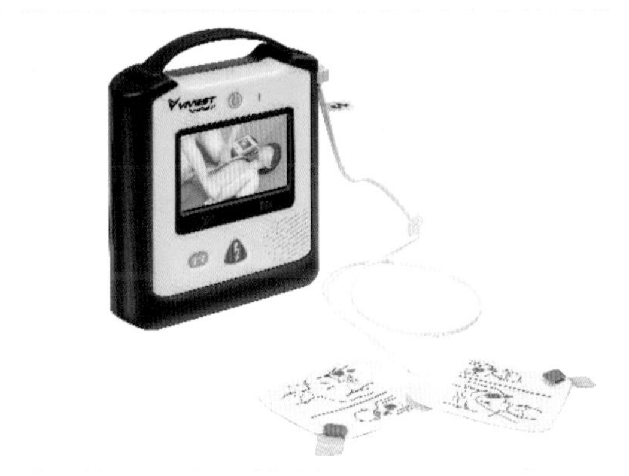

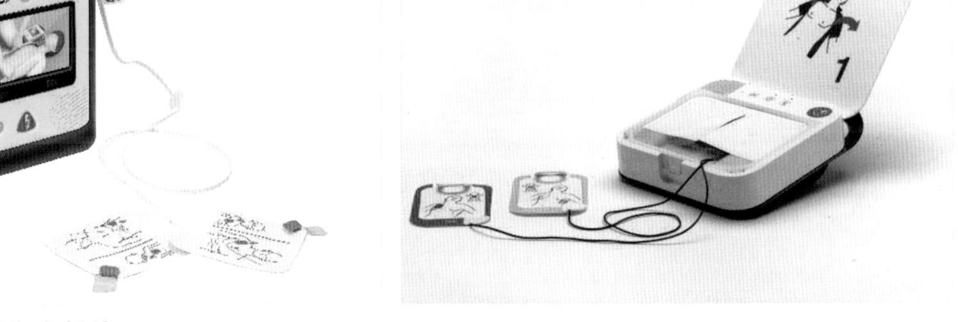

图49 AED主机和电极片

使用步骤

当患者无意识、无呼吸或仅有濒死叹息样呼吸时，就需要使用AED。

当施救者在进行心肺复苏时，AED一旦到达，应立即使用AED。

半自动AED的使用步骤可以总结为“三步两离开”。“三步”即：开机，贴电极片，放电；“两离开”即：AED分析时、施救者放电前所有人都要离开患者。全自动AED的使用步骤可以总结为“两步一离开”。“两步”即：开机，贴电极片；“一离开”即：AED电极片贴好后，至AED放电完成时，所有人都要离开患者。

如果施救者没有经过培训，不懂得如何操作AED，或者在使用AED时，忘记了操作程序，可以按照AED的步骤图或遵循语音提示进行操作，即“听他说，照着做”。

注意：

AED可以在雪地或潮湿地面使用，但是不能在水中使用。如果患者躺在水中，施救者应该将患者移出，再使用AED。

开机

取出AED，按开机键开机（图50A）。也有一些品牌的AED打开机器的盖子时会自动开机，发出语音提示（图50B）。

施救者按语音提示进行操作。

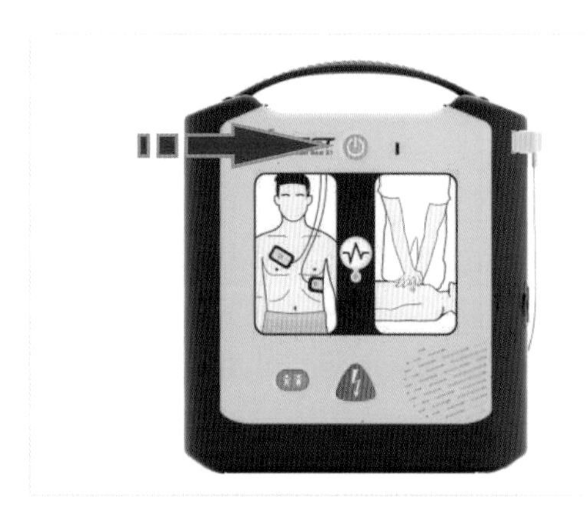

A 按开机键开机

B 打开机器的盖子时自动开机

图50 AED的开机方式

儿童和婴儿的AED选择

如果AED有给予儿童电击能量的按键或者开关，在给不超过8岁或者体重不超过25公斤的儿童患者使用AED时，应打开按键或者开关（图51A）。如果AED配有儿科能量衰减器（图51B），在给不超过8岁或者体重不超过25公斤的儿童患者使用AED时，应将其连接到AED上。这样，AED可以给予比成人低的电击能量。

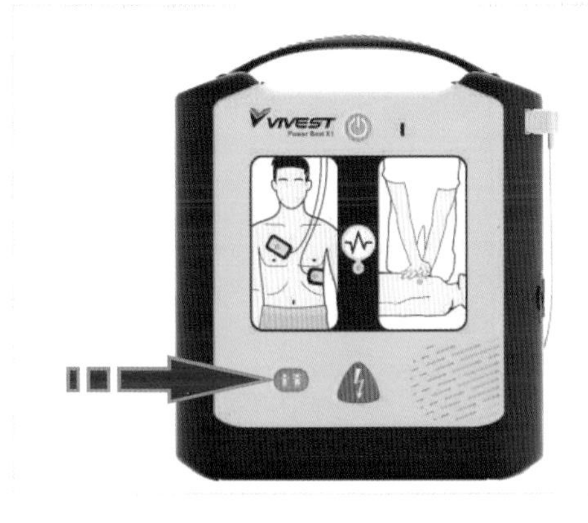

A 儿童按键

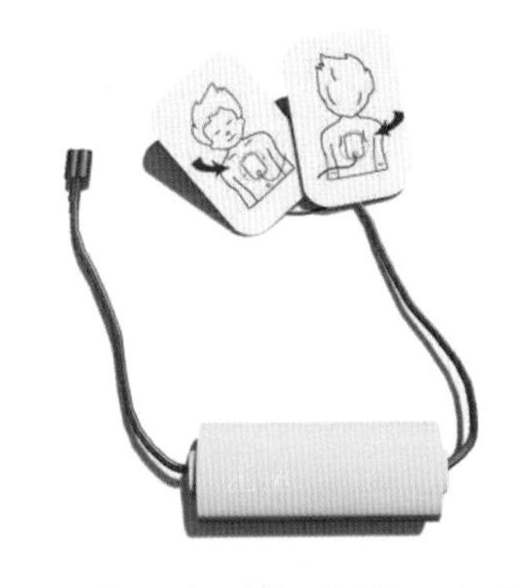

B 儿科能量衰减器

图51 儿童使用AED

对于婴儿，专业急救人员应优先使用手动除颤器。如果没有手动除颤器，施救者可以使用配有儿科能量衰减器的AED。如果两者都没有，则使用普通AED。

贴电极片

AED品牌不同，电极片的存放位置也不相同。一些AED有一个背包，电极片可能与主机一起放在背包内。也有一些AED，电极片与主机连在一起。还有一些AED，电极片被收纳在主机盖子内。

选择电极片

电极片的种类一般分为成人电极片和儿童电极片（图52A）两种。成人电极片较大，儿童电极片较小。成人电极片上的人物图像显示为一个成年人，儿童电极片上的人物图像显示为一个幼儿。大多数AED只配备成人电极片，也有的AED有给予儿童电击能量的按键或开关，其配备的电极片上既有成人图像，也有儿童图像，则该电极片既可以用于成人，也可以用于儿童（图52B）。

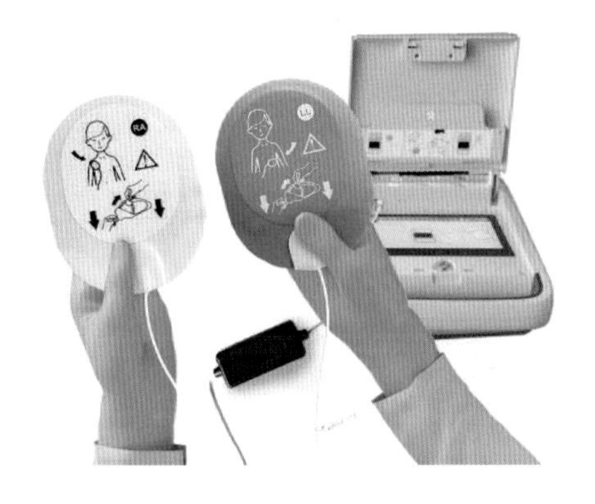

A 儿童电极片

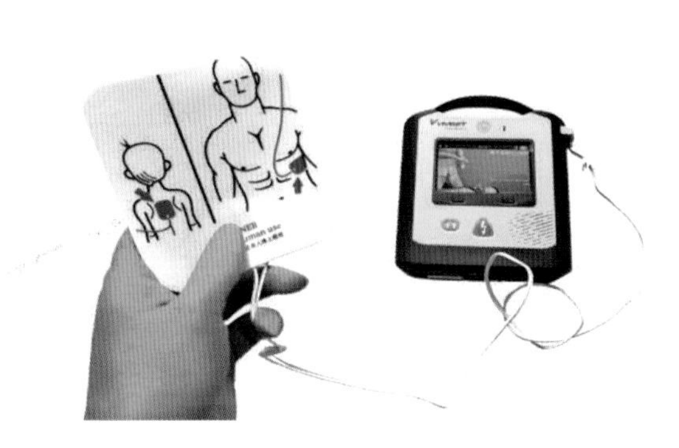

B 成人/儿童电极片

图52 成人和儿童电极片

有一些AED的电极片，带有反馈装置。施救者在进行胸外按压时，AED可以通过语音和屏幕实时提醒施救者的按压深度是否足够，从而提高胸外按压的质量（图53）。

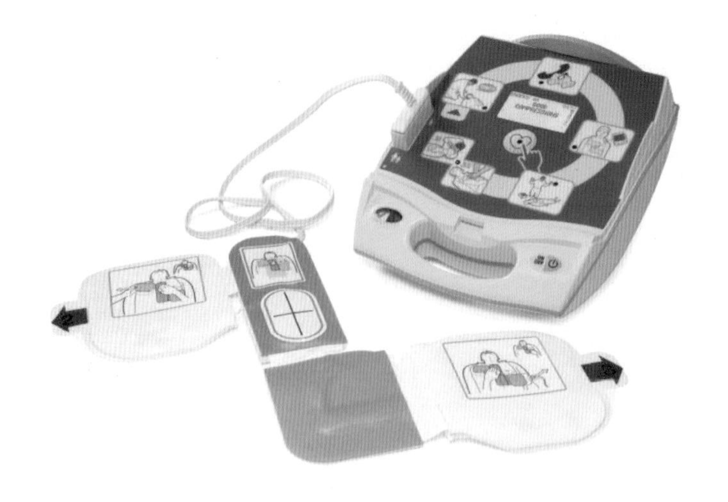

图53 电极片上带有反馈装置的AED

注意：

超过8岁或者体重在25公斤及以上的患者，不要使用儿童电极片。

清洁胸部

如果患者胸部干燥、清洁，可以直接贴电极片。

如果患者胸部潮湿，施救者应快速擦干胸壁（图54）。如果患者躺在水中，要移出来。如果患者只是躺在小水坑或者雪地里，可以不移动患者，但要保证患者胸部干燥。

如果患者胸部毛发很多，施救者应该迅速用剃刀剃除毛发。

如果患者胸部有药物贴片等异物，施救者应迅速撕去药物贴片并擦拭干净，再使用电极片。

如果患者胸部上方或腹部的皮肤下有硬块，大小约为一副纸牌的一半，可能是一台植入式除颤器或起搏器，施救者贴AED电极片时避免直接将电极片贴在植入装置上。

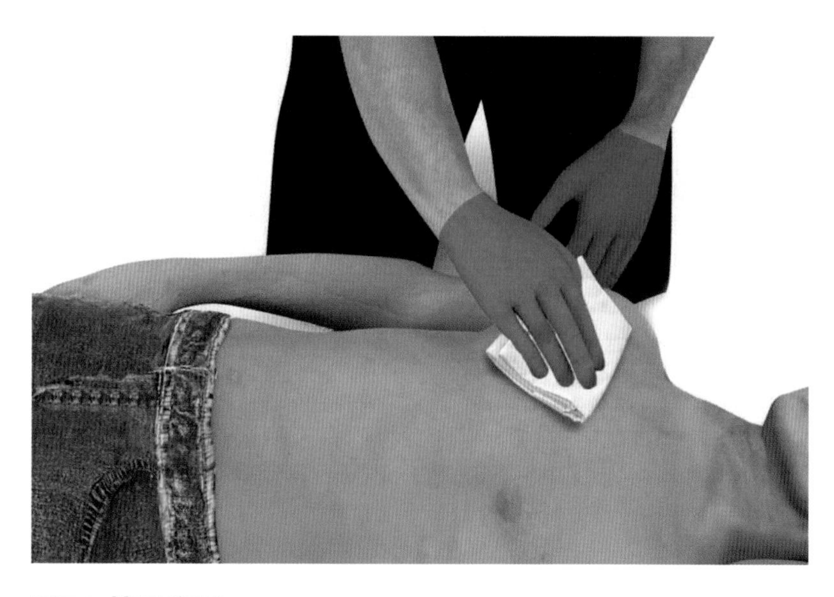

图54 擦干胸壁

贴电极片

AED电极片背面有图示，施救者按电极片上的图示将电极片贴在患者裸露的胸部。

成人和8岁以上或者体重在25公斤以上的儿童电极片贴的位置是前侧位：一片位于右锁骨正下方；另一片位于左乳头外侧，电极片的上缘位于腋下7~8厘米（图55A）。

如果患者右锁骨正下方有植入式起搏器，可以采用侧后位贴法：一片位于左侧胸部的乳头下方，一侧靠近胸骨；另一片电极片贴在背部的左侧，肩胛骨下方，靠近脊柱（图55B）。

不超过8岁或者体重不超过25公斤的儿童患者，电极片贴的位置应该遵循AED电极片上的图示说明，通常采用前后位。前后位：一片位于前面胸部中央，两乳头连线中点；另一片位于背部中央，与前胸相对应的位置（图55C）。

婴儿贴放电极片采用前后位。

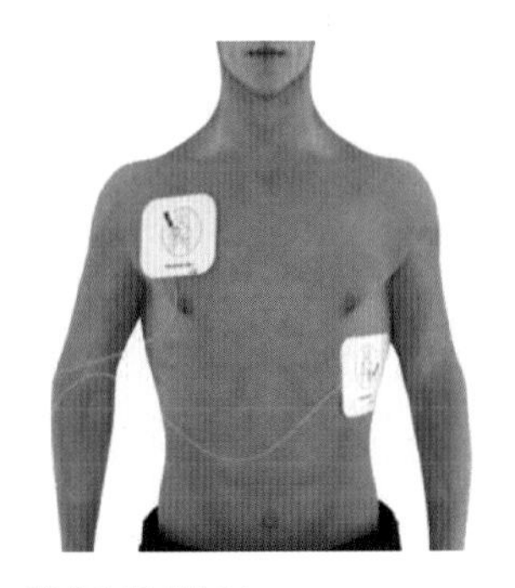

A 前侧位贴法

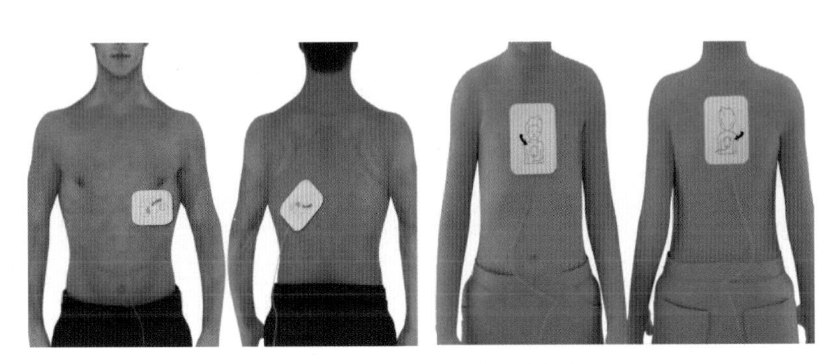

B 侧后位贴法　　C 前后位贴法

图55 电极片的贴法

注意：

要确保两块电极片之间有一定的距离，不能相互接触。

连接电极片

大多数AED的电极片都预先连接在主机上，不需要施救者连接。如果贴上电极片后，AED仍然继续提示“请连接电极片”，请检查电极片连接线的插头是否已接入主机，接入是否正确、牢固（图56）。

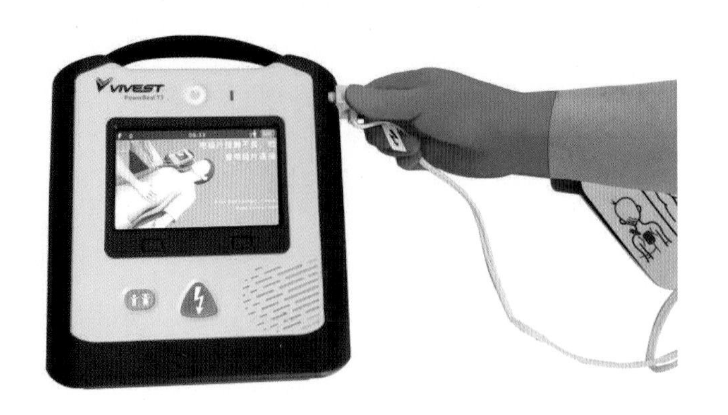

图56 检查并将电极片连接线的插头重新接入主机

分析心律

电极片贴好或者连接好后，AED会立即自动分析心律，并伴有类似这样的语音提示："不要触摸患者，正在分析心律"。此时，施救者要张开双臂，隔离其他人与患者接触，同时大喊："你离开，我离开，大家都离开。"（图57）

如果有多名施救者，也应一同张开双臂，眼睛巡视患者上下左右，隔离其他人与患者接触，确保无任何人能接触到患者。

图57 所有人离开患者

电 击

分析完成后，AED会决定是否需要对患者进行电除颤。

需要电击

如果需要电击除颤，AED有类似这样的语音提示：“建议电除颤，正在充电”。此时，AED开始自动充电，放电键会亮灯并闪烁，机器发出蜂鸣声。

半自动AED在充电完成后，有类似这样的语音提示：“充电完成，请按放电键！”此时，施救者必须再次确定自己和周围没有任何人接触患者，张开手臂，眼睛巡视患者上下左右，隔离其他人与患者接触，同时大喊“你离开，我离开，大家都离开”，观察到无人与患者接触后，果断按放电键，进行电除颤（图58）。

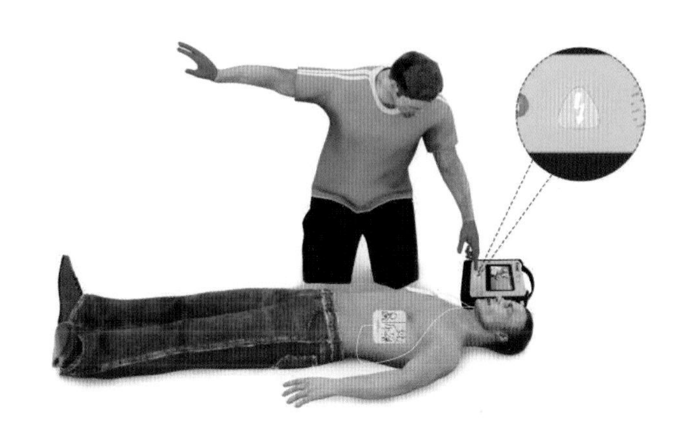

图58 按放电键进行电除颤

全自动AED在充电完成后，有类似这样的语音提示：“请做好准备，准备进行电击。请与病人保持距离，切勿接触病人！”同时有灯光快速闪烁。此时，施救者必须再次确定自己和周围没有任何人接触患者，张开手臂，眼睛巡视患者上下左右，隔离其他人与患者接触，同时大喊“你离开，我离开，大家都离开”，确保所有人离开患者。几秒钟后机器会自动放电，不需要施救者按放电键放电。

电击完成后，施救者应从胸外按压这一步骤开始继续心肺复苏。

注意：

AED放电时，如果有人与患者接触，接触者也会被电击。所以，施救者在使用AED时，必须沉着冷静，在贴上电极片后，必须请周围所有人离开患者，并要求旁观者保持安静，听从AED语音提示进行操作，以免发生施救者或旁观者也被电击的事故。

不需要电击

如果患者的心律属于不可电击心律，AED分析不需要进行电除颤，会出现类似这样的语音提示：“不建议电除颤，如有需要，开始心肺复苏”。

此时，施救者应立即从胸外按压这一步骤开始进行心肺复苏。

如果有两名施救者，此时更换另一名施救者进行胸外按压。

AED不要关机

急救时，AED应该持续开机，不要关机，也不要撕下电极片。每隔2分钟，AED会再次分析心律。此时，施救者按AED语音提示进行操作。

核心体温小于30℃的低体温心脏骤停患者，电除颤的成功率很低，通常尝试1次电击，如果电击不成功，则放弃电击，只进行胸外按压和人工呼吸，同时对患者采取复温措施。

持续抢救，直到患者心肺复苏成功进入持续护理，或专业急救人员到达交由专业急救人员抢救，或周围环境变得不安全被迫放弃抢救。

注意：

即使心肺复苏成功，也不要撕下电极片和关闭AED，因为患者可能再次发生室颤。

心肺复苏和电除颤的配合

心肺复苏时，如果附近有AED，施救者必须尽快获得AED。一旦AED到达，必须立即使用AED。

如果只有一名施救者，发现患者心脏骤停，但是施救者没有电话可以呼叫120，身边也没有AED，施救者应大声呼喊，叫更多的人来帮忙，并且：

- 如果患者是成人，应立即去寻找电话报警并获得AED。
- 如果患者是儿童或婴儿，施救者目睹患者倒地过程，应“先呼后救”，即先去寻找周围人员帮助或拨打急救电话，有条件时取得AED后，再实施心肺复苏。
- 如果患者是儿童或婴儿，施救者没有目睹患者倒地过程，应“先救后呼”，即先进行5组胸外按压与10次人工呼吸（约2分钟），再抱着患者或直接离开患者去寻找周围人员帮助，或拨打急救电话，有条件时取得AED，继续实施心肺复苏。

如果有多个施救者，应立即分工，一人进行心肺复苏，另一人呼叫120并取回AED。取回AED后，一名施救者继续进行心肺复苏，另一名施救者使用AED（图59）。

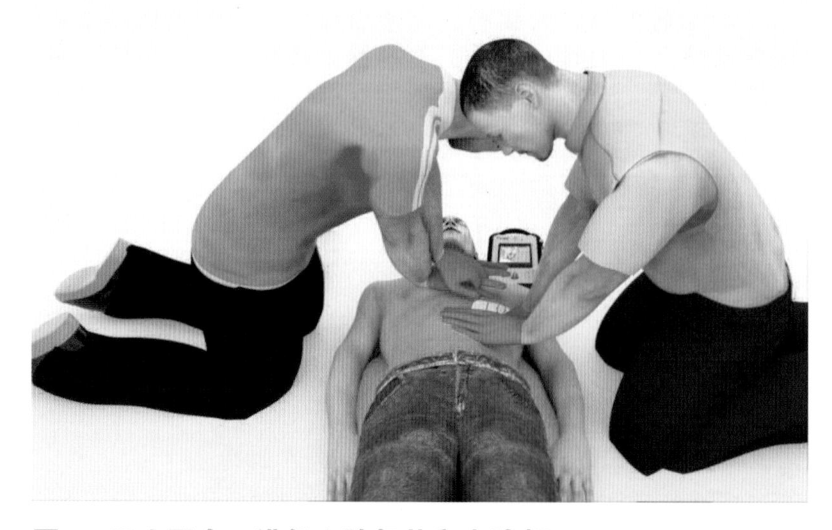

图59 双人配合，进行心肺复苏和电除颤

两名或者多名施救者可以轮替进行胸外按压和使用AED。

如果有三名以上的施救者，可以进入团队心肺复苏模式。在此模式时，由一名施救者担任队长，对其余三人进行分工，让每一名施救者都清楚自己的职责和任务。一名施救者负责胸外按压；一名施救者负责人工呼吸；一名施救者负责管理AED。当胸外按压者疲劳时，在队长的指挥下有序轮替。

注意：

孕妇发生心脏骤停时，一旦取得AED，施救者应该尽快按程序使用。如果孕妇需要电击除颤，施救者应该毫不犹豫地按下放电键进行电击。

使用AED的步骤

步骤		成人及儿童（8岁以上，或者体重在25公斤以上）	儿童（1岁至8岁，或者体重不超过25公斤）	婴儿（28天至1岁）
使用AED		患者无反应、无呼吸或仅有濒死叹息样呼吸，AED到达后，如果是一名施救者，停止心肺复苏，立即使用AED，如果有多名施救者，做心肺复苏的同时，使用AED		
开机		使用普通AED，按开机键开机，或打开盖子开机	打开儿童电击能量的按键或开关，或加载儿科能量衰减器，如果两者都没有，则使用普通AED	优先使用手动除颤器，然后是配有儿科能量衰减器的AED，如果两者都没有，则使用普通AED
选择电极片		成人电极片	儿童电极片，如果没有儿童电极片，也可使用成人电极片	
清洁胸部		擦干胸壁，去掉浓密的胸毛，清除药物贴片		
贴电极片		前侧位或侧后位	前侧位或者前后位	前后位
连接电极片		将电极片插头连接到主机上		
分析心律		所有人都离开，不要接触患者		
电击	需要电击，AED自动充电	如果是半自动AED，在放电前再次确认所有人离开，按放电键		
		如果是全自动AED，要求所有人离开，随后机器自动放电		
	不需要电击，AED不会充电	机器提示不建议电除颤，如有需要，开始心肺复苏		
心肺复苏		电击或AED分析不需要电击之后，都要立即从胸外按压开始进行心肺复苏		
不要关机		AED持续开机，每2分钟会再次分析心律		

第五篇 气道异物梗阻的解救方法

学习目标

阅读完本篇后，我们应该：

了解气道异物梗阻的一般概念

掌握不完全性气道异物梗阻的解救方法

掌握完全性气道异物梗阻的解救方法

一般概念

气道是气体进出肺部的必经通道（图60）。由于食物或者其他物体误吸入喉咽、气管、支气管等部位，使呼吸通道被部分或者完全堵塞，导致气体进出障碍，患者会出现呼吸困难、呛咳、面色发绀、意识模糊等症状，严重者会因缺氧而发生心脏骤停。

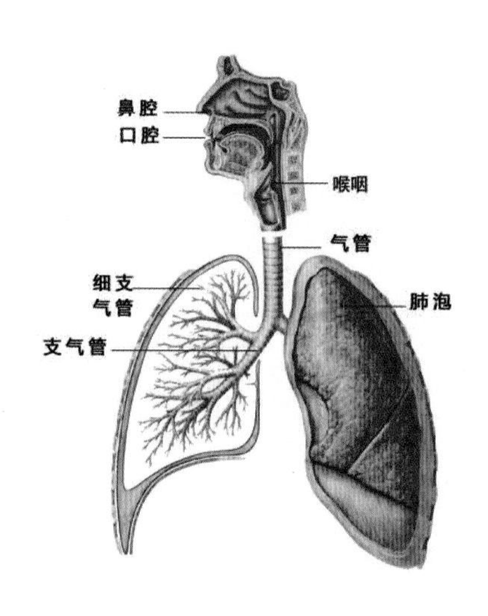

图60 气道示意图

气道异物的种类

导致气道异物梗阻发生的风险因素包括：服用精神类药物、酒精中毒、导致吞咽和咳嗽反射减弱的神经系统疾病、精神障碍、发育障碍、痴呆和高龄。

婴幼儿的气管与食管交叉处发育尚不完善，功能尚不健全，当婴幼儿口中含有异物，在他们说话、哭笑和剧烈运动时，容易将口中的异物吸入气管内，引起气道阻塞，导致窒息。而且婴幼儿好奇心强，喜欢将任何能拿到的东西都送到嘴里，故发生气道异物梗阻的风险更大。

气道异物种类繁多。婴幼儿气道异物以花生米、瓜子、糖果、葡萄、玉米粒、果冻、黄豆、黑豆等为多见，其次有圆珠笔帽、药品瓶盖等塑料制品，还有纽扣、钱币、玻璃球、玩具小零件等。成年人气道异物以鸡骨、排骨、点心多见。

异物进入呼吸道后，大的异物停留在气管，小的异物会进入支气管（图61）。如果异物只是进入一侧支气管，那么另一侧的肺还可以进行气体交换。体积较大、表面不光滑的异物对气管黏膜刺激性强，导致气管分泌黏液增加，病情会更加严重。豆类、花生米等异物容易被气道分泌的黏液浸泡而膨胀，也可加重病情。

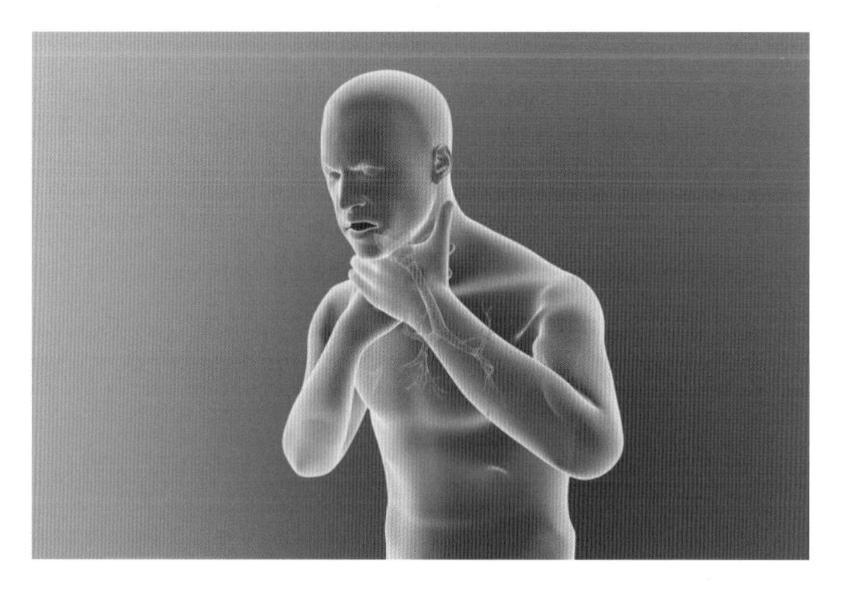

图61 气道异物示意图

气道异物梗阻的表现

气道异物的种类、大小、停留的位置不同，患者表现出来的症状也不相同。

因为大多数的气道异物梗阻与进食有关，所以当发生气道异物梗阻时，常常会有同伴在身边，这为气道异物梗阻的急救提供了方便。

不要把气道异物梗阻与昏厥、心肌梗死、癫痫发作或其他可能导致突发性呼吸困难、发绀或意识丧失的情况相混淆。因为患者最初是有意识的，所以施救者通常可以询问患者是否发生了气道异物梗阻，如：“您是否被噎着了？”

“V”字形表现

当异物吸入气管时，患者常不由自主地以一手拇指和其余四指分开呈“V”字形紧抓自己的颈部，以示痛苦和求救，这是一个典型的气道异物梗阻的表现（图62）。

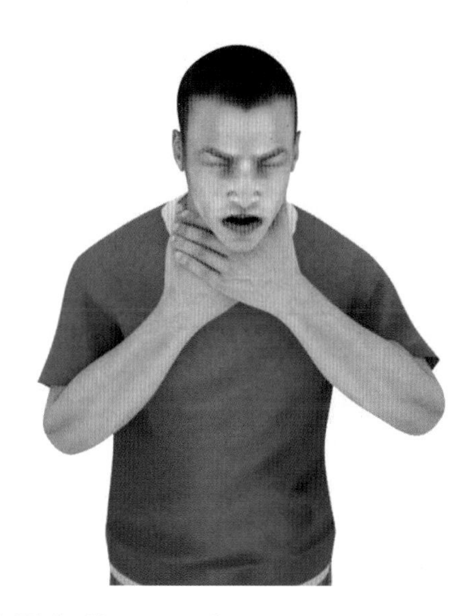

图62 “V”字形表现

不完全性梗阻的表现

如果异物较小，发生不完全性气道异物梗阻，空气可能仍然会在异物周围通过，有一些通气和咳嗽的能力，患者表现出咳嗽、喘气或者咳嗽弱而无力，甚至呼吸困难，张口吸气时可以听到异物被冲击的高啼声，患者手呈“V”字形，口唇及颜面部青紫或者苍白。

完全性梗阻的表现

如果异物较大，发生完全性气道异物梗阻，异物周围没有空气通过，患者不能说话、不能呼吸、不能咳嗽，吸气时出现胸骨上窝、锁骨上窝、肋间隙的皮肤、肌肉向下凹陷，手呈“V”字形，口唇及颜面部青紫或者苍白，数分钟后可出现心脏骤停。

不完全性气道异物梗阻的解救方法

及早发现、尽快识别气道异物梗阻是解救的关键。

发现患者发生了不完全性气道异物梗阻，应立即进行解救。

解救方法

患者神志清楚，发生不完全性气道异物梗阻，施救者可采用以下方法进行施救:

- 评估现场环境安全，正面走向患者，询问患者或其亲友是否发生了气道异物梗阻。
- 表明自己学习过急救知识，询问患者或其亲友是否愿意接受帮助。
- 如果同意，施救者转到患者一侧，请患者弯腰低头，鼓励患者用力咳嗽，咳出异物（图63）。
- 如果患者症状持续或者加重为完全性气道异物梗阻，应立即指定身边人呼叫120并取得AED，同时按完全性气道异物梗阻的解救方法进行解救。

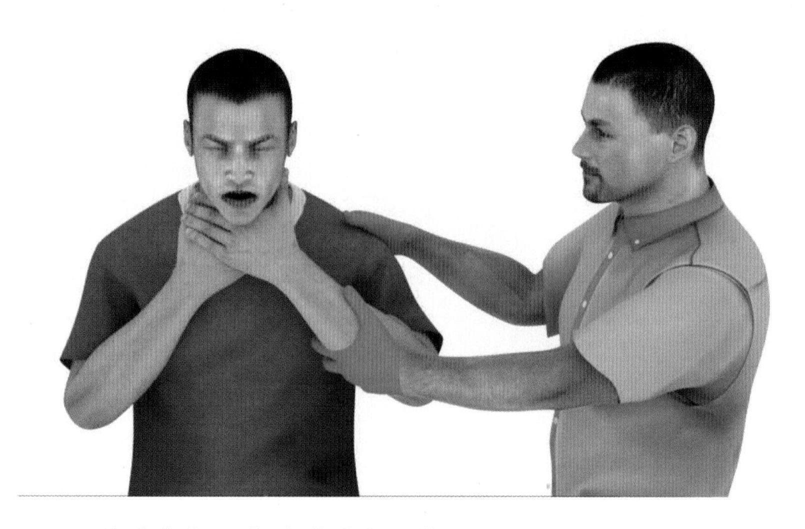

图63 鼓励患者用力咳嗽咳出异物

完全性气道异物梗阻的解救方法

及早发现、尽快识别气道异物梗阻是解救的关键。

发现患者发生了完全性气道异物梗阻，应立即进行解救。

解救方法

患者神志清楚，发生完全性气道异物梗阻，施救者可采用以下方法进行施救：

- 评估现场环境安全，正面走向患者，询问患者或其亲友是否发生了气道异物梗阻。
- 表明自己学习过急救知识，询问患者或者其亲友是否愿意接受帮助。
- 指定旁人呼叫120并取得AED。
- 如果患者是成人或者1岁以上的儿童，施救者转到患者身后，采用“海姆立克急救法”施救。如果患者是婴儿，施救者采用“拍背压胸法”施救。

海姆立克急救法

这种抢救方法是美国著名医学家亨利•海姆立克教授（Henry · J · Heimlich）发明的，又叫腹部冲击法。该法利用腹部和膈肌软组织被突然冲击时，产生的向上的压力，压迫两肺下部，驱动肺部残留气体形成一股气流，将堵塞气管、喉部的异物冲击排出。

操作方法

施救者按“剪刀、石头、布”的顺序进行施救。

- 施救者请患者弯腰低头且双腿分开与肩同宽站立，施救者弓箭步站在患者身后，前脚伸入患者双腿之间，胸部紧贴患者背部（图64A）。
- 施救者双手从患者腋下穿过，抱住患者腰部，一只手的示指和中指（“剪刀”）摸到患者的肚脐（图64B）。
- 另一手握拳（“石头”），拳面需平坦，拳头拇指侧放在腹部肚脐上方和胸骨下的正中线上，远低于剑突的位置（图64C）。
- “剪刀”手五指并拢（“布”），抓住拳头（图64D）。
- 双手前臂用力，以肘关节为支点，突然向上、向内用力将拳面压向患者腹部，连续快速有力地冲击。
- 冲击有节奏地持续进行，直到异物排出或者患者失去反应。

A 施救者和患者的姿势

B 环腰摸到肚脐

C 正确放置拳头　　D 抓住拳头

图64 海姆立克急救法

特殊情况

如果患者是孕妇，或者腹部过于肥胖，施救者不能实施腹部冲击法，应该将冲击的部位改在胸部中央或胸骨下半段（图65）。

A 对孕妇实施胸部冲击　　B 对肥胖患者实施胸部冲击

图65 胸部冲击法

如果患者是儿童，施救者可以蹲下或者跪下进行施救（图66）。

图66 为儿童实施海姆立克急救法

如果患者个子很高，施救者可以请患者坐下或者跪下进行施救。

如果患者独自一人，可以采用自行腹部冲击法进行急救。自救时，一只手握空心拳，拳头拇指侧放在腹部正中线上、肚脐和胸骨中间部位，另一只手包住此拳，用力向上、向内快速冲击（图67A）；也可以选择将腹部肚脐和胸骨中间部位抵在坚硬的椅背或栏杆上，用力向上、向内快速冲击，直到异物排出（图67B）。

A 拳头冲击

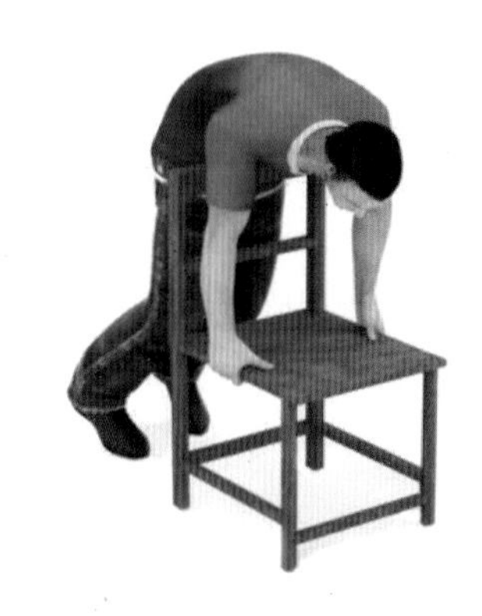

B 椅背冲击

图67 自行腹部冲击法

注意：

用腹部冲击法解除气道异物梗阻时，拳头放置的位置要略高于肚脐，或放置在肚脐和胸腔（肋骨底部）之间，远低于剑突尖端。如果冲击剑突，导致剑突骨折或肋骨骨折，会造成胃、肝脏、胰腺等器官损伤。

拍背压胸法

28天以上、1岁以内的婴儿发生气道异物梗阻，施救者可以通过拍背和胸部以快速冲击来排出气道异物。

注意：

不可以用腹部冲击法来解除婴儿的气道异物梗阻，这样会造成婴儿腹部损伤。

实施方法

立即呼叫120，并采取以下方法进行急救：

- 施救者单膝跪地或者坐于椅上，一只手托住婴儿的头和下颌，拇指和其余4根手指分开，分别固定婴儿面部的颧骨，但不要掩盖口鼻。婴儿面部朝下，头低臀高，两腿分开骑跨在施救者的前臂上。施救者前臂放在自己的大腿上。
- 另一只手的掌根用力拍打婴儿肩胛之间的背部，连续5次（图68A）。

- 如果异物没有排出，施救者拍打背部的手的拇指和其余四根手指分开，盖住婴儿枕部，前臂贴紧婴儿背部脊柱。两只手的手臂夹住婴儿，一同用力，将婴儿翻转，同时施救者的前臂移至另一只腿上。翻转时仍然保持婴儿头低臀高位（图68B）。
- 翻转后婴儿面部朝上，施救者托住婴儿面部的手的示指和中指并拢，在胸部进行5次快速、有力的冲击。冲击的部位在胸骨下半部，两乳头连线中点正下方。冲击的深度约为胸廓前后径的1/3。冲击时手指不要离开胸壁。冲击时以每秒钟1次的速率进行（图68C）。
- 如果异物排出，婴儿哭泣出声或者有呼吸，应打开其口部，清除口腔内的异物。如果异物没有排出，应继续进行上述操作，直到异物排出，或者婴儿失去反应。

A 拍打婴儿背部

B 低位翻转

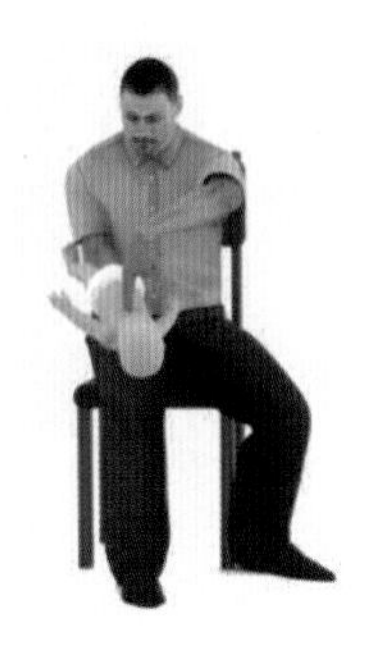
C 按压胸部

图68 拍背压胸法

没有排出异物

经过抢救，异物没有排出，患者失去反应，应立即停止腹部冲击法或者拍背压胸法，将患者放在平硬的物体表面上，从胸外按压开始心肺复苏。不要检查脉搏。

每次进行人工呼吸前，施救者应该检查口腔内是否有异物。如果有可见的异物，应立即清除。如果没有见到异物，继续心肺复苏。

不要用手指伸入到咽喉部去清除异物，这样可能将异物推入气道，或者咽喉部因创伤而发生水肿，更加阻塞气道。

如果此时还没有呼叫120，而施救者手边又没有电话，对于成人，应立即离开患者呼叫120；对于儿童或者婴儿，应该先进行5个循环的心肺复苏（约2分钟），再离开儿童或者抱着婴儿去呼叫120。

注意：

不论患者是成人、儿童还是婴儿，即使气道异物梗阻解救成功，患者排出异物，也要去医院就诊，检查急救时是否对身体造成了损伤，检查异物梗阻是否引起了其他并发症。

第六篇 常见急症急救

学习目标

阅读完本篇后，我们应该：

掌握呼吸困难的表现及急救方法

掌握脑卒中的表现及急救方法

掌握心肌梗死发作的表现及急救方法

掌握抽搐的表现及急救方法

掌握晕厥的表现及急救方法

掌握低血糖的表现及急救方法

掌握过敏反应的表现及急救方法

掌握休克的表现及急救方法

掌握急产的表现及助产方法

呼吸困难

有效的呼吸要有通畅的气道、良好的肺功能和有力的呼吸运动。很多疾病都可以影响这三个因素，从而发生呼吸困难，甚至呼吸衰竭。

哮喘、心肌梗死、脑卒中、胸部外伤、过敏反应、中毒、中暑等都可造成呼吸困难。

表 现

患者呼吸变得急促或者非常缓慢，每次呼吸都要很用力，呼吸时有哮鸣音等杂音。

呼吸困难如果不及时处理，可能恶化为呼吸衰竭。呼吸衰竭时每次只能说一到两个字，不能说一个完整的句子，且身体无力，严重者有意识状态的改变，如昏迷。

持续的呼吸衰竭，会发生呼吸停止，继而心脏骤停。

急救方法

呼吸困难是急症，需要施救者积极救护。

一般情况

各种原因引起患者呼吸困难，施救者可以采取以下方法进行急救：

- 如果患者可以行动，施救者可以协助患者采用自我感觉最舒适的姿势休息，端坐位、半卧位、头高足低位都可以。
- 如果患者昏迷或者自己无法移动，施救者要将患者置于半卧位。
- 如果患者呕吐或者口腔内有分泌物、血液等，施救者应将患者置于侧卧位或头偏向一侧，并及时清理患者呼吸道，以保证呼吸道不被呕吐物、血液或者分泌物堵塞。

- 如果有条件，给予吸氧。
- 如果患者发生呼吸衰竭，应给予人工呼吸。
- 立即呼叫120，取来AED和急救箱。

特殊情况

如果呼吸困难是因为气道异物梗阻而引起的，施救者应立即解除气道异物梗阻。

如果呼吸困难是因为情绪激动、呼吸急促引起的，施救者应鼓励患者进行缓慢而深的呼吸。施救者引导患者紧闭嘴唇，用鼻子缓慢深吸气3～5秒，然后屏气1～2秒，再缓慢呼气3～5秒，如此反复进行（图69）。

如果呼吸困难是因为哮喘引起的，施救者应协助患者吸入药物。哮喘发作表现为呼吸困难、胸闷、哮鸣音和无效的咳嗽。哮喘患者一般会随身携带药物，施救者应寻找到药物，并帮助他吸入。操作流程为（图70）：

- 某些气雾剂使用时需要按说明书装入药物。某些气雾剂的药物已经存放在瓶内。
- 握住气雾剂瓶身，用力摇匀后，打开喷嘴盖子。
- 患者缓慢呼气后，将喷嘴置于上下齿间，用双唇包住吸嘴，转动旋钮或者按动按键释放药物。
- 用力、缓慢且深长地吸气，然后将吸嘴从嘴部移开，继续屏气5～10秒，然后再缓慢呼气。

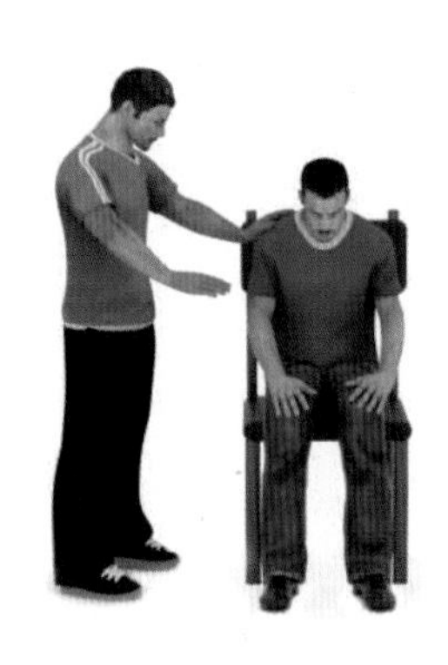

图69 引导患者进行缓慢而深的呼吸　　图70 协助哮喘患者使用气雾剂

如果患者经过处理后没有好转，或者呼吸困难加重，或者出现言语困难，或者失去反应，应立即呼叫120，并守在患者身边，直到120急救人员到达。

脑卒中

当某处脑血管破裂出血或者堵塞，就会发生脑卒中，表现为神经功能缺损。根据引起脑卒中的原因，可以分为出血性卒中（占13%）和缺血性卒中（占87%）。脑出血和脑梗死的症状几乎一样，现场急救时难以分辨，需要到医院做脑部影像学检查（CT、磁共振成像等）才能明确诊断。

脑卒中是一种严重的疾病，它可以导致患者终身残疾甚至死亡。但是如果能够早发现、早治疗，脑卒中可以获得很好的治疗效果。特别是缺血性卒中，如果能在发病的3～4.5小时内进行急性溶栓治疗或者在发病的6小时内进行可回收支架机械取栓治疗，大部分患者生命可以得到挽救，终身残疾可以得到预防。

表 现

施救者可以通过“中风120”三步识别法来识别患者是否发生了脑卒中。

- 1 看一张脸，不对称（图71A）。请患者露齿微笑。患者面部两侧口眼歪斜不对称，不能鼓腮，不能吹口哨。
- 2 查两只手臂。单侧无力不能抬（图71B）。请患者闭上眼睛，双手水平伸出，手心向下。10秒内患者一只手臂下垂，不能保持在原来的高度。
- 0（聆）听说话口齿不清。请患者说一句完整的话。患者说话含糊，语言表达困难，或者完全失语，一个字都说不出来。

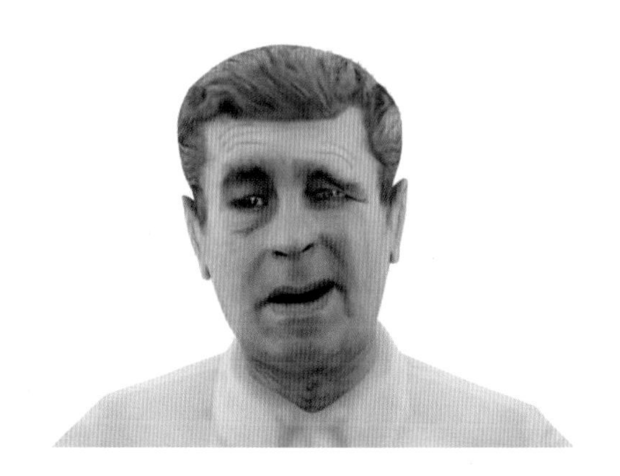

A 患者面部两侧不对称

B 患者一侧肢体无力

图71 “中风120”三步识别法

注意：

如果患者三步中的任意一步不正常，有72%的可能性发生了脑卒中。如果所有三步都不正常，则表明脑卒中的可能性大于85%。

此外，患者可能还表现出烦躁不安、意识模糊、头痛、呕吐、一侧面部或者肢体麻木、昏迷等。

急救方法

患者发生脑卒中时，施救者应采取以下方法进行急救：

- 评估环境，保证周围环境安全。
- 让患者停止任何运动。如果患者清醒，请患者以感觉舒适的姿势躺下，采用头高足低位。如果患者清醒，有恶心、呕吐，采用头高侧卧位。如果患者意识模糊，将患者置于头低侧卧位。
- 立即呼叫120，取来AED和急救箱。
- 保持气道通畅，及时清除口腔分泌物和呕吐物（图72）。
- 保持通风。如有缺氧的表现，给予吸氧。
- 保持周围环境安静，拉上窗帘，避免强光刺激。

- 如果患者是清醒的，安慰患者，缓解其紧张情绪。
- 注意保暖。
- 如果患者摔倒，有出血或者骨折时，应给予包扎止血或者骨折固定。
- 记录患者的发病时间。
- 陪伴在患者身边，直到120急救人员到达。

图72 置患者于头低侧卧位，施救者及时清除气道异物

注意：

如果患者清醒，可以询问患者卒中症状最早是什么时候出现的，则最早出现症状的时间为发病时间。如果患者昏迷，则施救者发现患者的时间，即为患者的发病时间。

对摔倒在地的患者不要随意翻动和搬运。不要喂食物和水，也不建议给患者服用任何药物。

心肌梗死

负责给心脏供应血液的冠状动脉发生了粥样硬化，或者不稳定的粥样斑块溃破，或者冠状动脉持续痉挛，引起血管管腔狭窄、闭塞，导致心肌缺血或者坏死，称为心肌梗死。

心肌梗死是一种非常危急且严重的疾病，如果不及时、正确、有效地处置，患者很可能在症状发作后1小时内死于急诊室或者到达医院之前。

疏通堵塞的冠状动脉，让心脏重获血液供应，是降低死亡率的关键。疏通血管的理想时间是发病后的120分钟内。

注意：

时间就是心肌，时间就是生命！每拖延1分钟，都会有大量的心肌细胞死去，都会影响抢救成功率。所以，疏通血管的时间，越短越好！

表现

患者胸部中央手掌大小范围内出现胸痛，有压迫、发闷或者紧缩感，严重者有濒死的恐惧感，持续数分钟至十多分钟，或者一直持续不缓解（图73）。

胸痛也可放射至左肩、左臂内侧，或者至颈、咽、下颌。伴有呼吸困难、出冷汗、恶心、呕吐、心悸、头晕等症状。

寒冷、饱食、吸烟、劳累、突然用力、剧烈运动或者情绪激动时，更容易诱发。

也可表现为牙齿痛、咽喉痛、胃痛。

女性、老年人和糖尿病患者的表现可能不典型，没有剧烈胸痛，只是表现出轻度的胸部不适如烧灼感、恶心、胃胀、频繁呕吐等，与消化道急症相似。

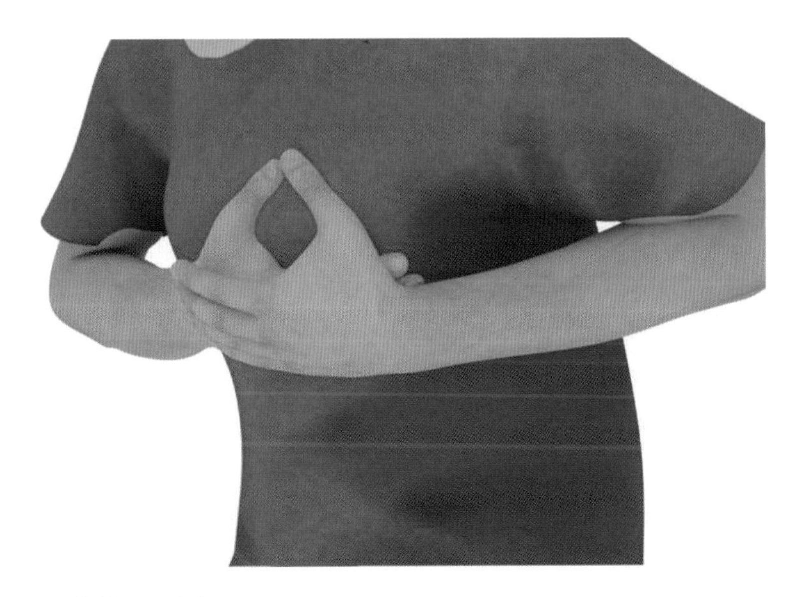

图73 胸前区剧痛

急救方法

如果患者出现以上症状，应怀疑患者发生了心肌梗死。施救者应采取以下方法进行急救：

- 评估环境，保证周围环境安全。
- 立即让患者停止任何运动，避免任何形式的用力。
- 采用患者自觉最舒适的姿势休息，如端坐位、半卧位、仰卧位等。
- 立即呼叫120，取来AED和急救箱。
- 松解衣领、腰带（图74）。
- 保持镇定，不要紧张。
- 保持气道通畅，及时清除口腔分泌物和呕吐物。
- 保持通风，如有条件，给予吸氧。
- 保持周围环境安静，注意保暖。
- 如有阿司匹林、速效救心丸、硝酸甘油等药物，应在120调度员的指导下服用。
- 如果患者无反应、无呼吸或仅有濒死叹息样呼吸，应立即进行心肺复苏，使用AED。
- 尽快到医院诊疗。

图74 立即请患者原地休息，松解衣领

抽搐

各种原因引起大脑的电活动异常，使支配大脑的肌肉发生抽搐。抽搐的常见原因包括癫痫、头部创伤、高热、低血糖、感染、中毒、脑卒中等。

表现

患者发生抽搐时，局部或者全身肌肉失控，肌肉变硬，一阵阵抽动。
有些患者两眼上翻、凝视或者斜视。
大多数患者神志不清，意识突然丧失、呼之不应。
少数患者可能会咬伤自己的舌、嘴唇，但是一般不会造成大出血。
抽搐的持续时间为几秒钟至几分钟，严重者达数十分钟或者反复发作。

急救方法

抽搐较为常见，抽搐的症状看起来也比较可怕，施救者应冷静判断，正确施救。

抽搐时

患者发生抽搐时，施救者应采取以下方法进行急救：

- 评估环境，保证周围环境安全。
- 将患者放在平地上，不要坐在椅子上。
- 立即呼叫120，取来AED和急救箱。
- 摘下患者的眼镜，移开患者可能撞上的物品、家具，特别是尖锐物品和易碎物品，如玻璃杯、暖水瓶等。
- 保持气道通畅，及时清除口腔分泌物和呕吐物。
- 垫一块毛巾在患者头部下面，防止头部受伤。
- 保持周围环境安静、通风，尽量不要搬动患者。
- 不要限制患者的抽动。

注意：

抽搐时，不要在患者口腔内塞毛巾、筷子、勺子等任何物品（图75）。患者极少会咬伤舌、嘴唇至大出血。往口腔内硬塞物品，可能造成牙齿脱落、口腔损伤。

图75 不要往口腔内塞异物

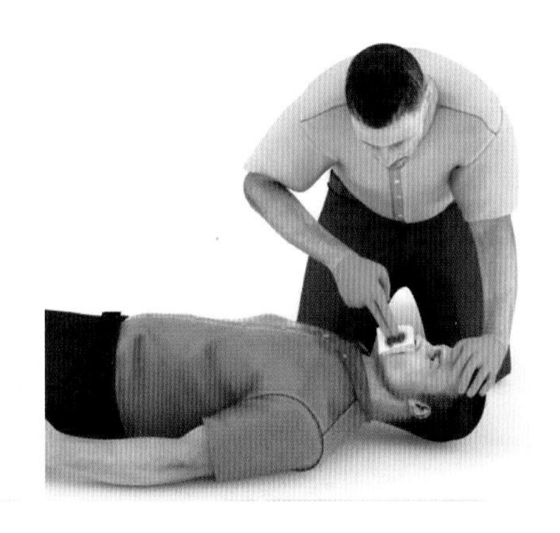

图76 如果咬伤了舌、唇并出血，应压迫止血

抽搐后

在患者抽搐停止后，施救者应该立即检查患者，并正确施救：

- 如果患者无反应、无呼吸或仅有濒死叹息样呼吸，应立即进行心肺复苏，使用AED。
- 如果患者有反应和呼吸，应让患者侧卧休息，并注意开放气道，保持气道通畅，及时清除口腔分泌物和呕吐物。
- 如果患者只是呼吸停止，可以只给予人工呼吸，成年人每分钟通气10次，即每6秒钟进行一次人工呼吸。儿童和婴儿为每分钟通气12～20次，即每3～5秒钟通气一次，持续到自主呼吸恢复或者120急救人员到达。
- 如果患者咬伤了舌、唇并且还在出血，应给予无菌纱布压迫止血（图76）。
- 在患者抽搐时和抽搐停止后几分钟内，若患者意识不清，不要喂水和食物，以免引起呛咳、误吸。
- 如果患者高热，应采取合适的降温措施。
- 陪伴在患者身边，直到120急救人员到达。

注意：

如果患者是孕妇、3岁以下的儿童和婴儿，或者是创伤引起的抽搐，即使抽搐已经停止，也应去医院诊疗。

晕厥

晕厥是指大脑一过性缺血、缺氧引起的短暂意识丧失。一般突然发作，发作时出现眩晕，然后失去意识，患者因肌张力消失不能保持正常姿势而倒地，通常会在1分钟内恢复正常，恢复后一般不留后遗症。

患者易发生晕厥的情况如下：患者有心脏病、低血糖，患者久蹲、久坐或者弯腰后突然站立，患者一次大量排尿，患者长时间站立后再运动，患者情绪非常激动。

表现

患者因为以上原因发生眩晕、乏力、恶心、心悸、面色苍白、出冷汗，失去反应摔倒在地。

急救方法

患者发生晕厥时，施救者应采取以下方法进行急救：

- 评估环境，保证周围环境安全。
- 发现患者脸色苍白、出冷汗、站立不稳时，立即就地先搀扶患者坐下，再使其平躺，以防跌撞造成外伤。
- 立即呼叫120，取得AED和急救箱 。
- 检查患者是否有反应和呼吸，如果患者没有反应和呼吸，立即开始心肺复苏。
- 如果患者无反应，但有呼吸，将患者置于头低侧卧位，避免舌后坠阻塞气道。
- 保持气道通畅，及时清除口腔分泌物和呕吐物。
- 保持周围环境安静、通风，注意保暖。
- 检查患者是否有摔伤，如果有出血，应立即止血。
- 患者意识不清时禁止喂水和食物，避免呛咳、误吸。
- 患者醒来后不要使其马上站起，应等待好转后才逐渐扶起行走。
- 陪伴在患者身边，直到120急救人员到达。

晕厥患者常能很快恢复知觉。但因晕厥病因多种多样，患者清醒后，施救者仍然应该建议患者去医院诊疗。

低血糖

患者血液中葡萄糖含量太少而引起的一系列症状。常见于糖尿病患者用药过量，或者患者处于严重感染、饥饿、恶病质、剧烈运动、过量饮酒等情况下，但是没有及时补充食物时。

表 现

患者通常从精神状态改变开始，会突然出现情绪激动、烦躁不安、好斗，同时会有心悸、无力、头晕、视物模糊、全身出冷汗、抽搐等症状。患者有虚脱的感觉。

急救方法

患者发生低血糖时，施救者应采取以下方法进行急救：

- 评估环境，保证周围环境安全。
- 搀扶患者坐下或者平卧，保持周围环境安静、通风。
- 判断患者意识、呼吸和循环。
- 如有条件可立即进行血糖测定，若血糖低于2.8mol/L或血糖检测设备出现“LOW”，则为低血糖。
- 如果患者有意识，能够吞咽，则可以喂食含糖的食物或者饮料，如葡萄糖片、软糖、砂糖、蜂蜜、橙汁、全脂牛奶等（图77）。如果患者的病情在15分钟内没有好转，应立即呼叫120，取来AED和急救箱。
- 如果患者没有意识，无法吞咽食物，则施救者不要强迫患者坐起或者进食，应立即呼叫120，取来AED和急救箱。

图77 患者意识清醒，可以喂食含糖的食物和饮料

过敏反应

过敏反应是各种外源物质通过皮肤、呼吸道、消化道或者血管等途径作用于人体后，人体内发生的过度的免疫反应。过敏时，人体产生的大量能引起血管扩张和支气管收缩的组胺等物质释放到血液中，表现出各种症状。

过敏反应可以是局部的，也可以是全身的；可以迅速发生，也可以在几个小时后发生；可以表现轻微，也可以表现非常严重。

引起过敏的原因很多，如食用了鸡蛋、花生、麸皮、大豆、蜂蛹、甲鱼、海鲜等食物，使用了青霉素、头孢类药物，接触了花粉、棉絮、毛发、皮垢、小草、粉尘等物质，被昆虫叮咬或者蜇伤，都可能发生过敏反应。这些引起过敏反应的物质称为过敏原。

表 现

发生轻微的过敏反应时，患者表现出局部皮肤瘙痒，有突起的红疹、红斑等，稍重者伴有鼻塞、打喷嚏、眼周发痒等症状。

发生严重的过敏反应时，患者全身起疹、肿胀和瘙痒，吞咽困难，恶心，呕吐，腹泻，烦躁不安，昏迷，呼吸困难，休克，甚至心脏骤停。

急救方法

患者发生过敏反应时，施救者应采取以下方法进行急救：

- 评估环境，保证周围环境安全。
- 如果明确对某些因素过敏，应立即让患者脱离过敏原。如开窗通风、搬走花草、去除毒素、停用药物、停止进食等。
- 立即呼叫120，取来AED和急救箱。
- 让患者侧卧或头偏向一侧，保持气道通畅，及时清除口腔分泌物和呕吐物。
- 有条件时给予吸氧。
- 严重的过敏反应，需要给予抗过敏药物。
- 如果患者失去反应、没有呼吸或仅有濒死叹息样呼吸，应立即开始心肺复苏。

抗过敏药物

常用的抗过敏药物有肾上腺素、氯苯那敏、氯雷他定等，但是药物的给予，应当在120调度员的指导下进行。

肾上腺素笔

肾上腺素笔是一种肾上腺素自动注射器，可用于紧急救治严重过敏反应患者。注射用的肾上腺素是肾上腺素的人工合成物。使用规定剂量的肾上腺素的风险是很低的。当患者发生严重过敏反应时，正确使用肾上腺素笔可以挽救生命。

施救者按照笔上的说明书来操作：

- 施救者手持肾上腺素笔的中段，取下蓝色安全帽（图78A）。
- 对准患者大腿中段外侧，用力将笔的橙色注射端压向大腿，针头刺入腿部肌肉时，可以听到“咔哒”声（图78B）。
- 按肾上腺素笔说明书提示，按住注射笔不动3秒或者10秒。
- 垂直拔出注射笔，注意不要接触到笔尖。
- 施救者或者患者自己按摩注射部位10秒（图78C）。
- 施救者记录注射肾上腺素的时间。
- 10分钟后，如果症状没有好转，可以考虑重复给药一次。
- 针头应装在锐器盒内，丢弃到附近医疗机构的医疗垃圾桶内，或者交给120急救人员。
- 陪伴在患者身边，直到120急救人员到达。

A 取下安全帽

B 对准大腿中部外侧注射药物

C 按摩注射部位10秒

图78 正确使用肾上腺素笔

注意：

肾上腺素笔是一次性医疗设备，一旦触发就不能再次使用，所以持笔时不要碰触肾上腺素笔的两端。

休克

休克是由于血管内能流动的血液减少，导致身体内细胞受损、代谢紊乱、器官功能障碍的一种病理状态。引起休克的原因很多，常见的有大出血、感染、心肌梗死、严重过敏反应、剧烈疼痛、呕吐、腹泻、中暑、烧伤、大量出汗等。

表现

患者表现为无力，头晕，恶心，口渴，神志淡漠或者烦躁不安，反应迟钝，皮肤苍白，四肢潮湿冰凉，脉搏细速、微弱，尿量减少或者无尿，昏迷。

急救方法

患者发生休克时，施救者应采取以下方法进行急救：

- 评估环境，保证周围环境安全。
- 采用头高足高的休克体位，让患者休息（图79）。
- 立即呼叫120，取来AED和急救箱。
- 去除造成休克的原因，如对出血患者止血、包扎，对骨折患者止痛、固定，帮助过敏患者脱离过敏原和进行抗过敏治疗等。
- 保持气道通畅，及时清除口腔分泌物和呕吐物。如果患者没有意识，使其头偏向一侧。
- 有条件者给予吸氧。
- 保持周围环境安静，注意保暖。

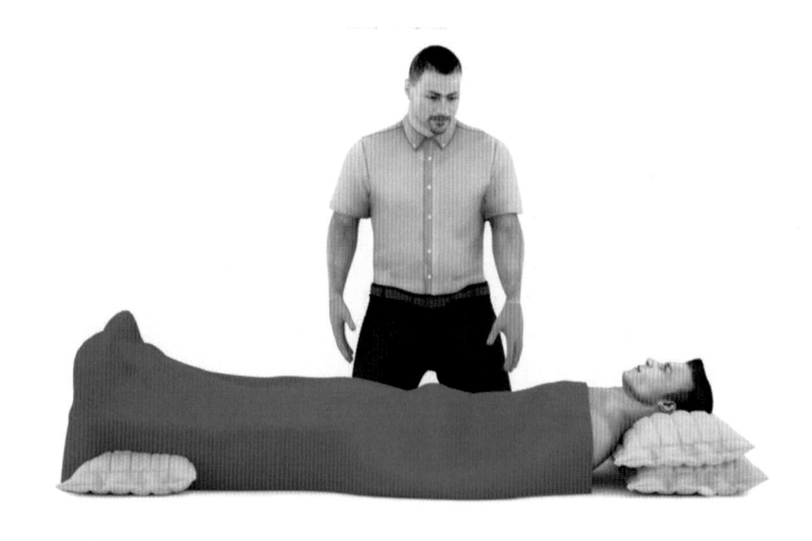

图79 将患者置于休克体位，注意保暖

注意：

休克患者应当禁食，并减少搬动。

急产

孕妇在医院外娩出胎儿，称为急产。常发生在经产妇、骨盆底软组织松弛者、子宫收缩力过强者、对生产没有经验或者疏忽的产妇身上。

表现

产妇出现有规律的宫缩、阵痛、阴道出血、阴道流液，有强烈便意等。

助产方法

产妇及家人应密切关注预产期，以及产妇的身体状况，如果出现临产表现，应立即呼叫120到医院生产。如果呼叫了120，在等待过程中，施救者应采取以下方法进行急救：

- 评估环境，尽可能让周围环境安静、清洁。
- 施救者洗手、戴手套。
- 产妇躺在干净的卧具上，保持镇静，不要紧张，不要恐惧。
- 用清水清洗会阴部。
- 在产妇臀部下面垫上干净的塑料布、毛巾或者枕头，抬高臀部。
- 产妇采用腹式深呼吸，在子宫收缩时张口哈气，不要向下屏气用力。
- 如果胎儿开始娩出，产妇要仰卧，屈起双膝，两腿尽量向外分开。
- 施救者协助分娩，帮助胎头娩出，用手从胎儿鼻子部位轻轻向下挤压，挤出胎儿口腔内的黏液和羊水。
- 再协助将胎儿的头、肩部娩出，用双手轻轻托住胎儿的头肩部位，等待胎儿的身体、下肢娩出，不能暴力拉出。
- 擦干胎儿全身，轻拍足底或者按摩背部，有助于排出胎儿口鼻内的羊水，刺激胎儿哭出声音。
- 胎儿哭出声后，用干净的衣物把胎儿包住保温。
- 在距离胎儿腹部15厘米和20厘米处用结实的绳子扎紧脐带，或者将脐带对折，用橡皮筋或者绳子绑紧。不要随意剪断脐带。
- 给产妇保温，等待胎盘娩出。不要用牵拉脐带的方法娩出胎盘。如果在120急救人员到达前胎盘已经娩出，可以用毛巾把它包住，并放到与婴儿一致的水平位置。
- 如果胎儿娩出后，产妇大出血，可以协助产妇按摩子宫，刺激子宫收缩，减少出血。
- 如果产妇阴道撕裂出血，要用毛巾直接压迫止血。
- 陪伴在产妇和胎儿身边，直到120急救人员到达。

第七篇 创伤急救

学习目标

阅读完本篇后，我们应该：

掌握伤口初步处理技术

掌握外出血的止血法

掌握各部位包扎法

掌握骨折固定法

掌握搬运患者的方法

伤口初步处理技术

创伤引起皮肤和软组织损伤，严重时伴有神经、血管、肌腱、内脏、骨骼损伤。如果伤口处理及时、正确，就能迅速愈合，不留或者少留后遗症；反之，则伤口可能化脓感染，久治不愈，甚至引起全身感染、气性坏疽、破伤风等，危及生命。

常用材料

给伤口进行初步处理的常用物品有0.9%生理盐水，碘伏、3%过氧化氢等消毒液，镊子、医用剪刀、手套等工具，还有纱布、棉球、棉签、绷带、胶布、创可贴、三角巾等材料，紧急时可以用毛巾、手绢、衣物、布料等代替医用材料。

注意事项

对患者伤口进行初步处理时，应注意以下事项：

- 施救者应该从正面走向患者，表明身份，获得患者或其亲友的同意，才可以进行施救。如果患者不清醒，也没有亲友在现场，则默认为患者同意施救。
- 让患者处于自我感觉舒适又适合施救者操作的体位。
- 条件允许时，施救者要洗手，并戴手套、口罩和护目镜进行自我防护。
- 如果条件允许，用干净的镊子等器械夹棉球进行操作。
- 优先选择对皮肤刺激性小、杀菌效果好、可以直接处理伤口的碘伏来清创消毒。
- 用生理盐水或者清洁的水冲洗伤口时，应避免将污物冲入伤口内引起感染。
- 用棉签、棉球处理伤口时，应沿着伤口的边缘作环形离心性向外擦拭（图80），但不要来回擦拭。如果伤口大，要更换棉签、棉球。
- 伤口消毒后通常要覆盖无菌纱布以防止感染，但需特别注意有些伤口应该保持裸露，如犬咬伤的伤口和深而小的伤口。

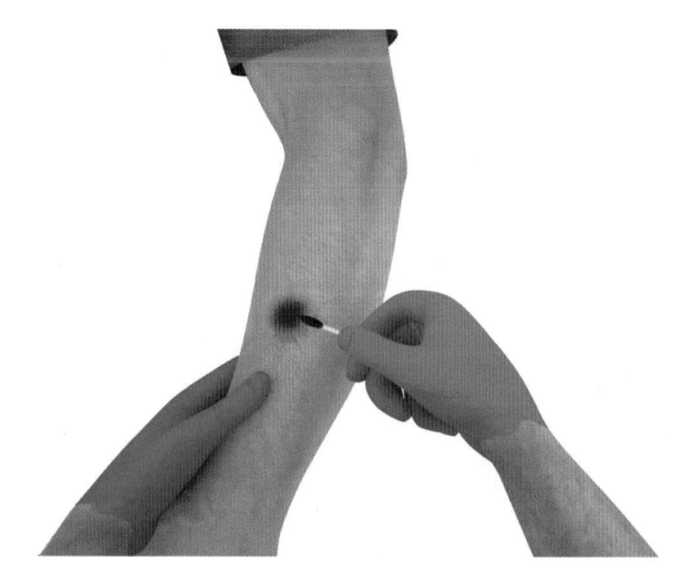

图80 离心性擦拭伤口进行消毒

擦伤

擦伤一般较轻微，施救者可以采用以下方法进行处理：

- 患者伤处如有污物，可以用清水、肥皂水或者生理盐水清洗，再用碘伏消毒。
- 用无菌纱布盖好伤处，也可使用创可贴。
- 面积较大的擦伤，应去医院诊疗。

刺伤

刺伤的伤口小，但深部组织损伤重，因口小底大或者伤口太深，常造成引流不畅，容易继发化脓性感染或者破伤风等。施救者可以采用以下方法进行急救：

- 患者伤口如有污物，要用清水冲洗伤口，挤压伤口周围，让血流带出污物，然后送其去送医院进一步消毒、清创，并注射抗破伤风的药物。
- 如果是刀、玻璃等物体刺伤人体，且仍留在身体上，施救者不要强行将其拔出，以免造成伤口大出血。施救者应立即止血、包扎，固定好刀、玻璃等物体，守候在患者身边直到120急救人员到达（图81）。
- 如果有内脏脱出，施救者一定不能将脱出物回纳，以免引起严重的感染。施救者可用生理盐水浸湿纱布、棉垫后覆盖好内脏，用三角巾制作成环形圈围住脱出物，再将用酒精、碘伏涂擦消毒后的碗或者小盆扣在上面以作保护，用三角巾包好，守候在患者身边直到120急救人员到达。

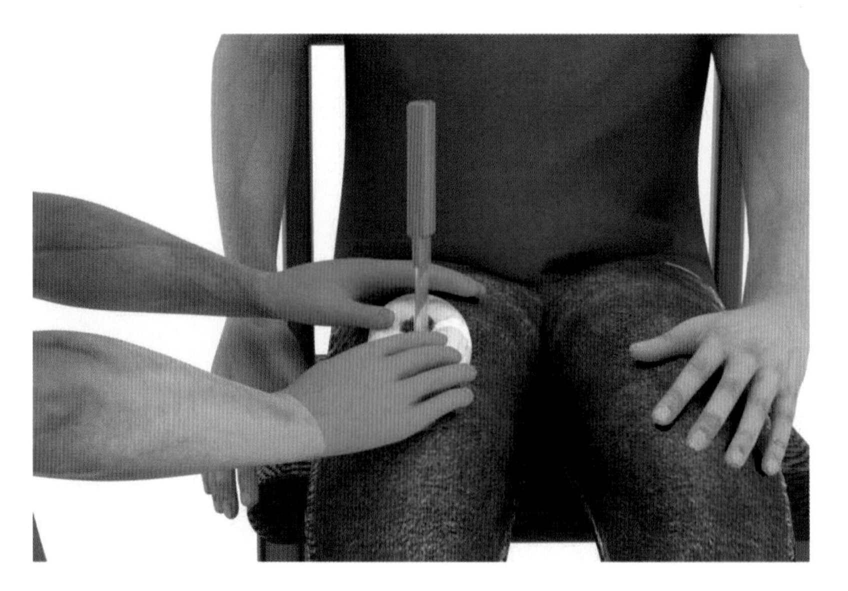

图81 固定异物，不能拔出

注意：

如果刀、玻璃等异物刺入患者面部并影响到患者呼吸时，为了抢救生命，需要拔出异物，并立即止血。

割伤

割伤伤口边缘整齐，周围组织破坏相对较轻，施救者可以采用以下方法进行急救：

- 如果伤口表浅、出血少，可以先清洗、消毒伤口，再止血、包扎。
- 如果伤口较大、出血较多，应迅速直接压迫止血，包扎后去医院治疗（图82）。
- 如果伤口内有小的碎玻璃等异物，可用清水反复冲洗。
- 如果发现较大的异物嵌在伤口内，或者伤口有污染物不易冲洗干净，或者出血不止，应尽快呼叫120。切忌自行拔除异物，以免引起大出血。

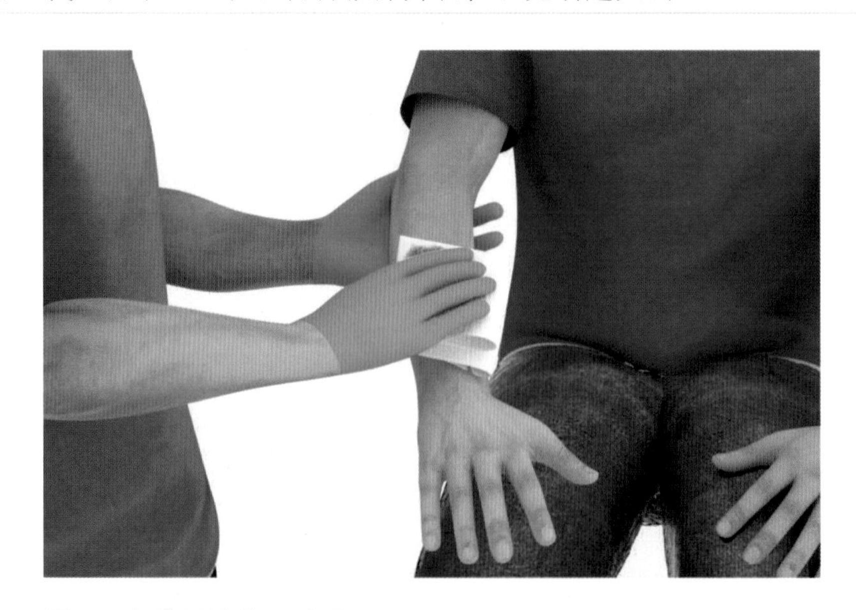

图82 直接压迫伤口止血

撞（扭、夹）伤

因撞击或者扭、夹而导致受伤部位瘀血、肿胀、功能障碍，施救者可以采用以下方法进行急救：

制动

立即限制受伤部位的活动，如果是下肢受伤，应立即坐下或躺下休息，禁止承重。

冷敷

皮肤、肌肉等软组织挫伤后24小时内为急性期，表现为毛细血管破损、渗出增加，导致伤处肿胀。冷敷可以收缩毛细血管，减少渗出，减轻瘀肿，缓解疼痛。故急性期处置以冷敷为主。

将碎小的冰块装入塑料袋中，用一块薄的毛巾垫在伤处，再在毛巾上放冰袋（图83）。

不能直接将冰块放在伤处。

头后枕部、耳郭、阴囊、肢体的末端不宜用冰袋冷敷，以免造成冻伤。这些部位可以用冷水浸湿后拧干的毛巾外敷，每4～6分钟更换一次。

踝关节或者腕关节扭伤，可以将其直接浸泡在冷水中进行冷敷，但不能浸泡在冰水中冷敷，以免冻伤。

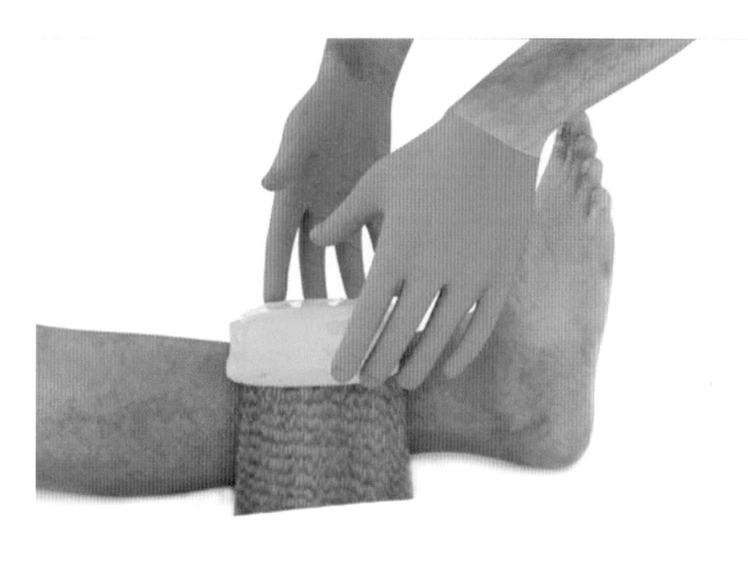

图83 冷敷伤处

注意：

每次冷敷时间为20分钟，间隔20分钟后可以再次冷敷。

心前区冷敷易引起反射性心率减慢，腹部冷敷易致腹泻，足底冷敷可引起一过性冠状动脉收缩，所以这些部位不能冷敷。

热敷

受伤24小时后伤处可以进行热敷，还可以用红花油等按摩，以促进血液循环，消除瘀血。

在热水袋中装入60～70℃的热水，用一块薄的毛巾垫在伤处，再在毛巾上放热水袋。

老年人和儿童可以用装50℃热水的热水袋或者热毛巾热敷，每3～5分钟换一次，敷20～30分钟，间隔20分钟后可以再次热敷。

如果疼痛呈进行性加重或者有骨折，或者是头、胸、腹、骨盆等重要部位受到撞击，应立即去医院诊疗。

注意：

受伤24小时内不要对伤处进行热敷和按摩。

烧（烫）伤

可以用患者的手掌来估算烧（烫）伤的面积。患者五指并拢，一只手掌的面积约占体表面积的1%。

烧伤的严重程度

烧伤深度的判定一般采用三度四分法，即将烧伤深度分为Ⅰ度、Ⅱ度（浅Ⅱ度和深Ⅱ度）、Ⅲ度（图84）：

Ⅰ度烧伤：仅伤及表皮浅层，烧伤区域呈红斑状、干燥、烧灼感，没有水疱。创面再生能力强，3～7天可以愈合，短期内可以有色素沉着。

浅Ⅱ度烧伤：伤及表皮较深，烧伤区域红肿明显，有大小不一的水疱形成，疼痛明显。如果不感染，创面可于1～2周内愈合，一般不留瘢痕，但多有色素沉着。

深Ⅱ度烧伤：伤及表皮较深，烧伤区域也可有水疱，痛觉较迟钝。如果不感染，创面可融合修复，愈合时间较长，需要3～4周，常有瘢痕增生。

Ⅲ度烧伤：全层皮肤烧伤，破坏了毛细血管和神经，可深达肌肉甚至骨骼，烧伤区域呈现蜡白、焦黄或者炭化，痛觉消失，没有水疱。焦痂可于3～4周后脱落，创面修复依靠创面边缘的健康皮肤生长或植皮，愈合后多形成瘢痕，而且常造成畸形。

烧伤面积越大，深度越深，病情越严重。

火灾中，在密闭空间内发生的面部、颈部和前胸部烧伤，特别是口、鼻周围的烧伤，可能导致患者出现“吸入性损伤”。患者有口唇肿胀、口腔和咽部红肿、刺激性咳嗽、声音嘶哑、吞咽困难、呼吸困难等症状，表明烧伤情况非常严重，必须立即送医。

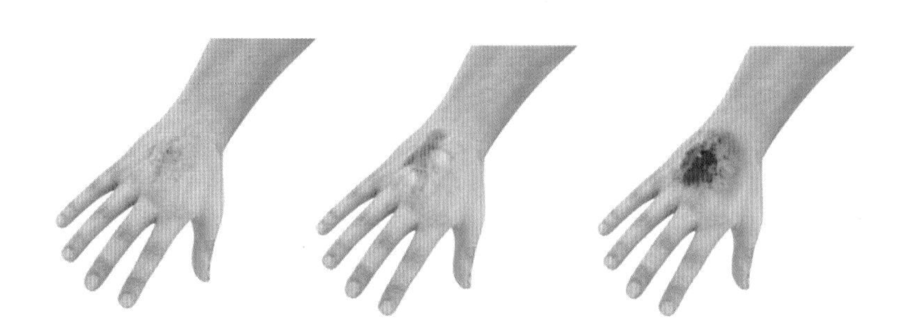

图84 不同烧伤深度的创面

急救方法

烧伤可轻可重，施救者可以采用以下方法进行急救：

- 评估环境，保证周围环境安全。
- 施救者戴手套，做好个人防护。
- 迅速用冷水冲洗肢体或者浸泡伤处，起到止痛、降温和消肿的作用。如果伤处较小或者没有合并其他严重外伤，冲洗时间应在30分钟以上（图85）。
- 立即摘除患者身上戴的手表、指环等束缚物，以免伤处肿胀时，难以脱掉。
- 将烧伤部位的衣物慢慢、轻轻地脱下来或者剪掉，注意避免皮肤撕脱。
- 肢端的烧伤，可以将伤处浸泡在冷水中，时间应在30分钟以上。
- 如果没有合并严重的头、胸、腹部外伤或者剧烈呕吐，需要禁食、水时，可口服适量的淡盐水补充水分和电解质。
- 降温后可用清洁物料遮盖伤口，以减少污染，但不要包扎。
- 面积小的Ⅰ度烧伤，可以适当涂抹湿润烧伤膏。
- 面积超过患者一个手掌的Ⅰ度烧伤，Ⅱ度、Ⅲ度烧伤，面部、颈部、前胸部和生殖器的烧伤，应到医院诊疗。

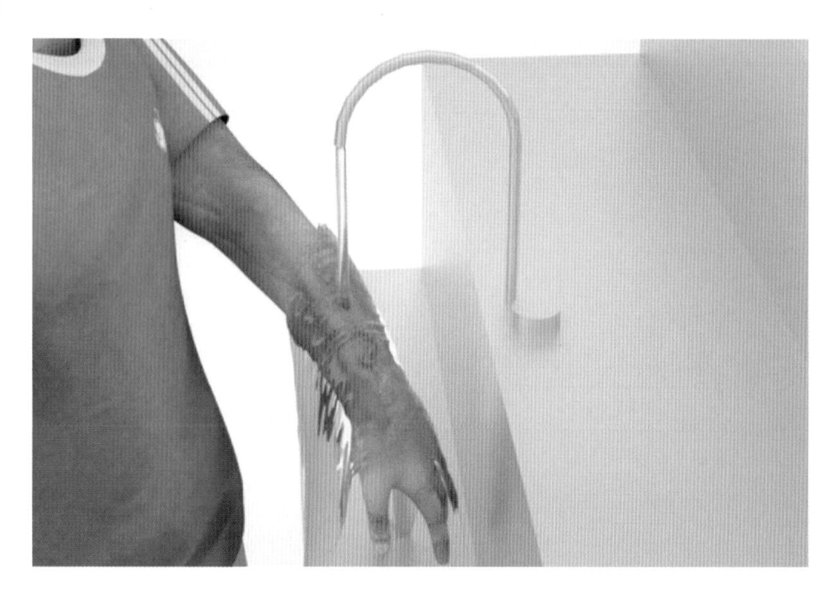

图85 用流动的水冲洗伤口上方，让水流带走热量

水疱处理

受伤部位出现的小的水疱，不用刺破，可以自动吸收消去。

如果水疱过大，可以用一次性注射器抽去水疱液。

如果水疱内液体混浊，应清理皮肤四周，消毒后在水疱下方作“V”字形切口，排干疱内液体（图86）。

Ⅱ度烧伤的水疱皮可以留在原处，每天消毒，直到伤处愈合，水疱皮自然脱落。Ⅲ度烧伤的焦痂应到医院处置。

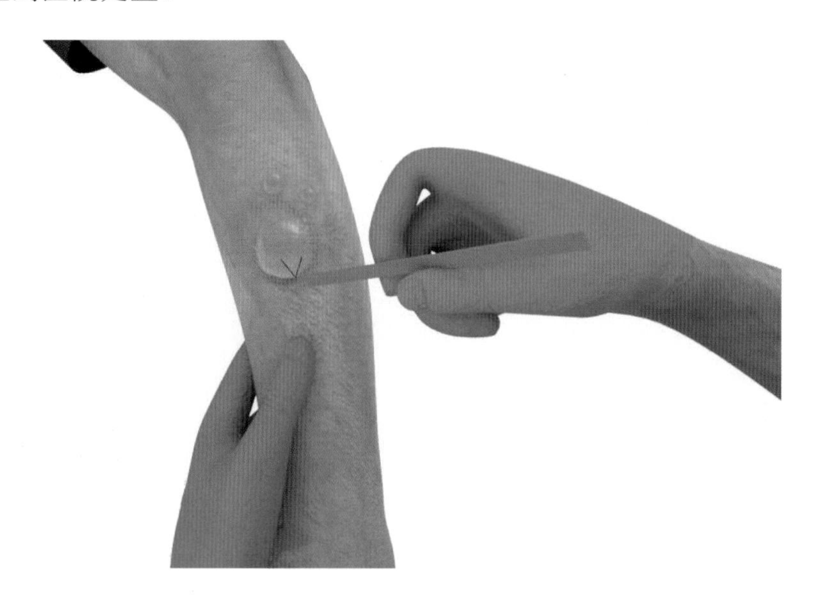

图86 在水疱下方作“V”字形切口

强酸烧伤

强酸有强烈的腐蚀性，被烧灼后可立即引起组织蛋白凝固，使组织脱水形成厚痂，但一般不起水疱，从而限制了酸液继续向深部侵蚀。

表 现

皮肤角质层蛋白质凝固坏死，呈界限明显的皮肤烧伤。硫酸烧伤的创面呈棕褐色，盐酸、石炭酸苯酚烧伤的创面呈白色，硝酸烧伤的创面呈黄色。烧伤部位疼痛剧烈，皮肤组织溃烂。

急救方法

患者被强酸烧伤时，施救者可以采用以下方法进行急救：

- 评估环境，保证周围环境安全。
- 施救者戴手套，做好个人防护。
- 迅速协助患者脱去沾染了强酸的衣物，立即用干净毛巾蘸吸伤处，沾去强酸，再用大量清水连续冲洗伤处30分钟以上。
- 眼睛被强酸烧伤，冲洗时头要偏向患侧，注意保护健侧眼睛。
- 上消化道被强酸烧伤，可以口服蛋清、牛奶、豆浆、淀粉、面糊等食物保护食管黏膜和胃黏膜。不能催吐和洗胃。
- 冲洗伤处后，用清洁纱布轻轻覆盖创面，去医院诊疗或者陪伴在患者身边直到120急救人员到达。

强碱烧伤

患者被强碱烧伤，伤处创面呈褐色，局部疼痛剧烈，早期肿胀明显，可因大量丢失体液而引起休克。如果不及时处理，创面可继续扩大或者加深。

表 现

烧伤创面早期潮红或者有小水疱，一般均较深。烧伤后形成的焦痂或者坏死组织脱落后的创面凹陷，边缘潜行，往往经久不愈。

急救方法

患者被强碱烧伤时，施救者可以采用以下方法进行急救：

- 评估环境，保证周围环境安全。
- 施救者戴手套，做好个人防护。
- 立即协助患者用大量清水连续冲洗伤处30分钟以上。
- 眼睛被强碱烧伤，冲洗时头要偏向患侧，注意保护健侧眼睛。
- 被生石灰烧伤，要先用手绢、毛巾擦净皮肤上的生石灰颗粒，再用大量清水冲洗。
- 冲洗伤处后，创面暴露，要去医院诊疗或者陪伴在患者身边直到120急救人员到达。

注意：

强酸、强碱烧伤后，使用中和剂中和并非上策。可能因此耽误施救时间，也可能因为中和剂选择不当或中和反应时产热而加重伤害。

压疮

长期卧床、生活不能自理或者是身体虚弱、抵抗力低下的患者容易产生压疮，表现为受压部位如骶尾部、肩部、臀部等出现红肿、皮肤破溃，有些甚至化脓、腐烂。

患者发生压疮，需要精心护理，措施如下：

- 及时更换衣服、被褥。
- 每天用温水擦洗受压部位1～2次，洗净后局部用六一散、滑石粉、湿润烧伤膏或者凡士林涂擦。
- 保持臀部、背部、会阴部清洁干燥。
- 可用气垫或者厚海绵垫在骨头凸出部位。
- 定时转换姿势，以促进伤口愈合及避免肌肉萎缩。通常每两小时翻一次身，分为平卧、左侧卧、右侧卧，翻身时还可以用空心掌从下向上拍打背部，促进排痰。
- 根据病情，每天按摩身体2～4次。对骨骼隆起部位，每次至少需按摩3～5分钟，以利于活血通络。
- 如果皮肤破损处出现明显溃烂、化脓等，应立即就医。

感染伤口

如果伤口处理不及时，容易发生感染。被感染的伤口疼痛明显，有水样渗出物，红肿，皮肤发热，伤口还可腐烂，有异味，有黄色或者绿色脓液等，并出现全身反应如发热、呼吸困难、心悸、头痛、恶心、食欲不振等症状。

需要对感染的伤口进行彻底的清创和消毒，要迅速送医院诊疗。

离断肢体

施救者可以采用以下措施保护离断肢体（图87）：

- 评估环境，保证周围环境安全。
- 呼叫120，取来急救箱。
- 施救者戴手套，做好个人防护。
- 对离断处的伤口进行止血和包扎。
- 一般情况下不清洗断肢，但是如果断肢污染比较严重，要用干净的水清洗，清洗时水不能直接冲击断肢的创面。
- 用干净的布或者无菌敷料完全包裹断肢（指、趾）后，装入塑料袋内密封。
- 将此塑料袋放入装有冰块或者冰水的另一个容器内，然后密封。
- 在容器上注明患者姓名、日期、离断时间、肢体包装及冷藏时间。
- 陪伴在患者身边，将装有断肢的容器交给120急救人员，使之随患者一起送医院。

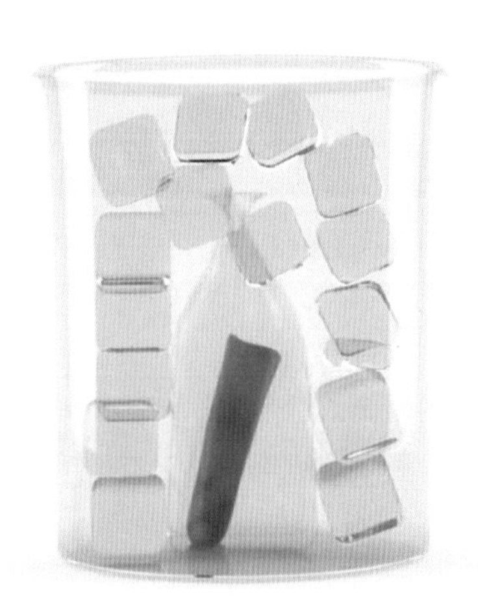

图87 正确处置离断肢体

注意：

切勿将断肢直接放入冰块或者冰水中。冰水会浸入断肢创面或者血管腔内，对断肢造成创伤，影响断肢再植。

止血法

出血分为内出血和外出血。脑、肝、脾等内脏器官受损，流出的血液进入颅腔、体腔或者组织内，称为内出血。血液流出体外称为外出血。外出血容易被发现，常能得到及时处理，而内出血常较隐蔽，有时专业急救人员都很难发现，治疗也比较困难，因而更加危险。

出血量与主要症状

出血的严重程度与出血量、出血速度、出血性质、出血部位有关。出血量和出血速度是威胁生命的关键因素，出血速度越快，量越多，病情越严重。出血部位与病情的严重程度密切相关，这在内出血中更为明显，如脑出血。

成年人出血量与主要症状

程度	出血量	占体内血液总重量百分比	脉搏（次/分）	主要症状
轻	＜500毫升	＜15％	100以下	不明显
中	500毫升～1500毫升	15％～30％	100～120	头晕，脉搏增快，呼吸浅快，血压下降，尿少
重	＞1500毫升	30％以上	120以上甚至摸不到	呼吸衰竭，烦躁不安或者淡漠，四肢冰凉，血压下降甚至测不到

不同血管的出血表现

外出血时，如果是毛细血管出血，血液向外渗出呈水珠状，颜色鲜红，出血速度缓慢。如果是静脉出血，血液呈非喷射状涌出，暗红色。如果是动脉出血，血液呈喷射状涌出，鲜红色，出血量大，短时间内就可致休克。

内出血

内出血时，出血部位隐蔽，不易发现，易被漏诊、误诊而耽误抢救时间。有些出血处即使发现了，现场也难以止血，如肝、脾破裂出血。有些脏器虽然出血量很少，也可能致命，如脑干出血。

注意事项

施救者在对伤处进行止血时，应注意以下几点：

- 评估环境，保证周围环境安全，并取得患者或其亲友同意。
- 戴手套、口罩和护目镜，做好个人防护。
- 在伤口污染且出血很少时，可以先进行伤口的初步处理，用清水或者肥皂水清洗伤口，用碘伏消毒，再包扎止血。其他伤口应先止血再处理。
- 多部位出血时，应优先处理出血量大的部位和容易止血的部位。
- 在多种止血方法中，首选直接压迫止血法，然后再采用加压包扎止血法或者止血带止血法。

急救方法

外出血的止血法，包括直接压迫止血法、止血带止血法和加压包扎止血法。

直接压迫止血法

伤处出血不止时，施救者首先采用直接压迫止血法急救：

- 发现患者受伤，确保周围环境安全，取得患者或其亲友同意。
- 呼叫120，取来急救箱。
- 施救者戴手套、护目镜，做好个人防护。
- 给伤处覆盖敷料，敷料要完全盖住伤口。
- 施救者手指的指腹或者手掌用力压在敷料上。
- 用力压迫5～10分钟，观察伤口是否止血。
- 如果血已渗透敷料，不要更换，应增加敷料，并加大力度压迫。
- 如果已止血，或者施救者已无力压迫止血，应采用绷带、三角巾或者止血带止血。

注意：

鼻出血时，请伤员坐下，身体前倾，禁止头后仰。施救者戴手套后用清洁敷料垫在鼻子两侧的柔软部位，拇指和示指同时向鼻中隔用力压迫5～10分钟，直至出血停止。如出血未停止，应呼叫120，尽快送往医院治疗。

加压包扎止血法

经直接压迫止血法不能止血时，可以将绷带卷或者多层纱布放在伤口敷料上面，再将绷带卷和纱布一并包扎起来，加压包扎止血。

止血带止血法

在对肢体出血进行直接压迫、包扎或加压包扎止血失败时，以及客观因素导致不能直接压迫肢体止血时，应立即使用止血带。在灾害或事故现场，对威胁患者生命的四肢出血可立即使用止血带止血。

止血带通过在创伤肢体的近心端施加足够的压力，以阻断动脉、静脉血流而止血。

常用的止血带有卡扣止血带、充气止血带、旋压式止血带，也可以用三角巾或者布条自制的简易止血带。现场救护时优先使用旋压式止血带。

注意：

长时间使用止血带，患者可能会发生永久性神经损伤，肌肉损伤、溶解或坏死等并发症。应谨慎使用止血带，尽可能减少止血带使用时间。

止血带不适用于躯干和颈部损伤出血，对创伤交界区（如骨盆、腹股沟和腋下）的大动脉损伤出血管理效果不佳。

使用止血带的注意事项

- 突发肢体严重损伤出血时，优先使用旋压式止血带；如果现场没有止血带，则选择一切可以获得的材料作为临时止血带，务必止血彻底，直至专业急救人员到达或者将患者转运到专业医疗机构。
- 止血带的绑扎位置应在有效止血的前提下，尽量靠近出血部位，以最大限度地保证患者肢体功能。一般绑在近心端距伤口约5厘米处的皮肤完好部位，但应避开关节部位和上臂中、下段。上臂中、下段不能绑扎止血带，因为该处有桡神经，止血带的压迫可造成桡神经损伤，会影响前臂的功能。
- 现场急救时，应该在止血带绑扎位置垫上三角巾、毛巾或者衣物等衬垫保护患者皮肤；紧急情况下也可将患者裤脚或袖口卷起，铺平整，避免皱折，然后将止血带绑扎在其上；如果没有衬垫、衣物，也可以紧贴皮肤直接使用止血带。
- 止血带的松紧以恰好能彻底止血为标准，不要过紧和过松。
- 施救者应该及时、准确地记录止血带使用起始时间、患者不适主诉、血压动态变化、止血带松开时间，以及松开止血带后肢体血液循环情况等，并做好与专业急救人员的交接工作。
- 现场急救时，应该尽可能缩短止血带使用时间，最长使用时间不要超过2小时。但如果客观情况，患者无法到医院救治或者无替代止血办法，则在专业急救人员到达前或在到达医院前不解除止血带。一旦使用止血带，就应该尽快将患者送至医院治疗。
- 现场急救时，止血带一旦使用，则不建议松解，在得到可以替代的彻底止血的救治措施前松解。要做好再止血的准备。松解时，应该原位保留止血带，缓慢降低止血带压力。松解后，如果伤口仍然出血，可以使用止血敷料加压3～5分钟。若出血停止，可以对伤处进行加压包扎，并将止血带留在适当位置，但不要再绑紧；若出血仍不能止住，可立即再次使用止血带并不再打开直至得到手术救治。
- 如果患者双侧肢体同时使用止血带时，不可以同时松解。

注意：

以下情况禁止松解止血带：预计无法对松解止血带造成的出血进行有效止血，使用止血带时间已经超过6小时，患者休克，患者肢体离断。

旋压式止血带

使用方法如下：

- 绑止血带处垫好衬垫。
- 将止血带在衬垫上绕肢体一圈，一端穿过卡口后反折再穿过另一个孔。
- 尾端粘紧不留空隙。
- 旋转绞棒至伤口不出血。
- 将绞棒置于棒槽。
- 记录绑止血带的时间（图88）。

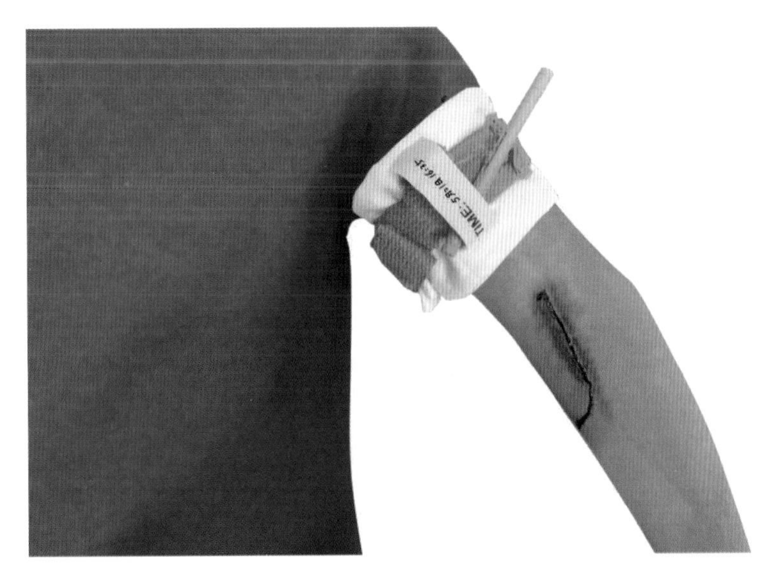

图88 旋压式止血带止血

简易止血带

如果没有止血带，受过使用简易止血带培训的施救者也可自制一个布条止血带绑紧止血。

- 在要绑止血带的部位垫好衬垫。
- 将三角巾或者布条折成约10厘米宽的条状带。
- 在衬垫上用条状带缠绕患者肢体1～2圈，两端向前拉紧，打一个活结（图89A）。
- 将一根较为坚硬的小棍棒（如铅笔、筷子、木棍等）插入活结下的条状带内。
- 旋转小棍棒至伤口不出血（图89B）。
- 将小棍棒插进活结内，拉紧活结（图89C）。
- 在明显部位记录绑好止血带的时间。

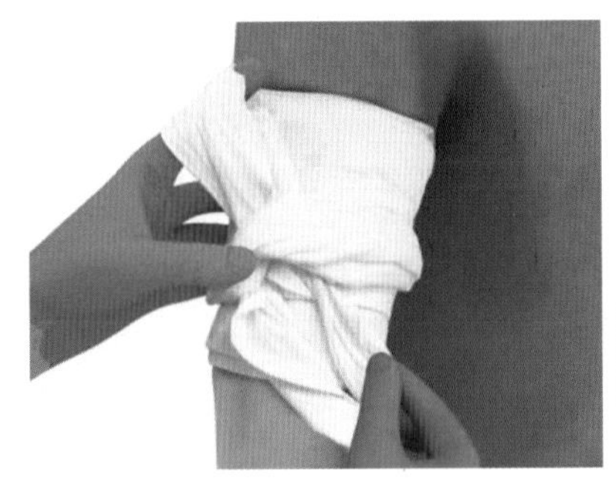

A 上止血带、打结

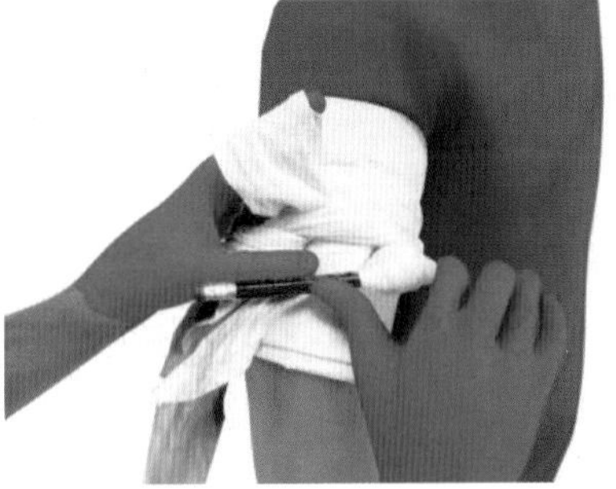

B 插入小棍棒，旋转至出血停止

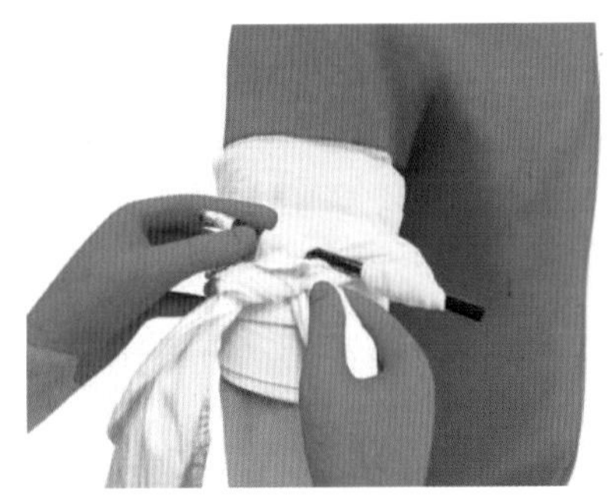

C 固定棍棒

图89 自制止血带止血

包扎法

一般概念

包扎术是指在受伤之后，应用绷带、三角巾或自制材料采用一定的手法把受伤部位包裹起来，以保护伤口、压迫止血、减少感染、减轻疼痛、防止肿胀和固定敷料、夹板的一种技术。

包扎时要“快、准、轻、牢”。快，即动作敏捷、迅速；准，即部位准确、严密；轻，即动作轻柔，不要碰撞伤口；牢，即包扎牢靠，不可过紧，以免影响血液循环，也不能过松，以免纱布脱落。

注意事项

施救者对伤处进行包扎要注意以下几点：

- 应当告诉患者将要采取的包扎方法，取得患者的同意和配合。
- 包扎时要询问患者的感受，是否觉得过紧或过松。如果患者觉得疼痛加剧，则包扎可能过紧，应当重新包扎。
- 包扎四肢时，手指、脚趾无创伤时应暴露在外，以利于观察肢体末端血液循环情况。
- 打结时应打平结。不要把结打在颈前、鼻子处，以免压迫气道造成呼吸困难和窒息；也要避免把结打在眼睛处，防止压迫眼球损伤视神经；还应避免把结打在颈动脉处，以免造成头部缺血缺氧；尽量避免把结打在肱动脉、股动脉处，防止造成肢体坏死。
- 包扎后应密切观察包扎材料是否干净，是否被血浸湿，如果血已浸透敷料，说明包扎太松，应重新包扎。
- 四肢包扎后，应采用压迫甲床的方法检查循环是否良好。要密切观察肢端的血运情况，以及包扎处远端皮肤、肌肉的颜色，并经常询问患者的感觉。如果发现远端皮肤变得苍白、肿胀、发绀、发冷、麻木，说明包扎太紧，应当适当调整，避免造成肢体缺血、坏死。
- 绷带包扎时，展开绷带的外侧头，背对患处，一边展开，一边缠绕。环形起，环形止，尽量做到松紧适当、平整无褶、美观。

注意：

不要在伤口上使用消炎粉，也不要涂抹药物。

绷带环形包扎法

用于四肢肢体粗细较均匀的小伤口的包扎。

方法是：

- 伤处覆盖敷料后，压住敷料展开绷带，一端稍作斜状缠绕（图90A）。
- 引绷带环绕肢体一圈，将斜出的一角反折（图90B）。
- 环形一圈压住反折的角（图90C）。
- 环形数圈后，固定绷带末端。固定时可以用带扣（图90D），也可以用胶布、安全别针固定，或将末端塞入前一圈绷带内固定，或将绷带末端剪开成两股绕伤肢一圈打平结固定。
- 最后检查末梢循环。

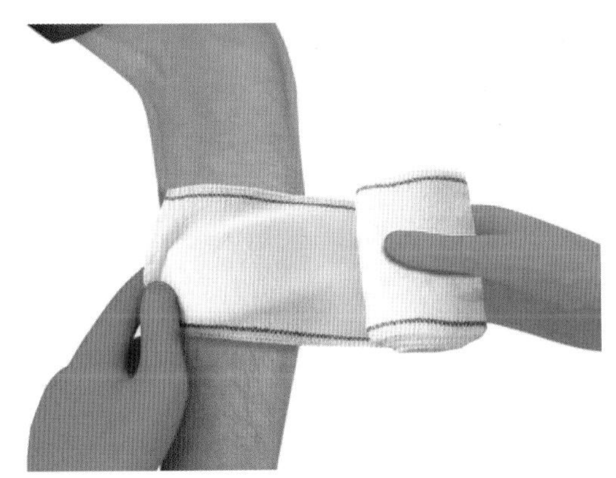

A 斜状缠绕

B 反折一角

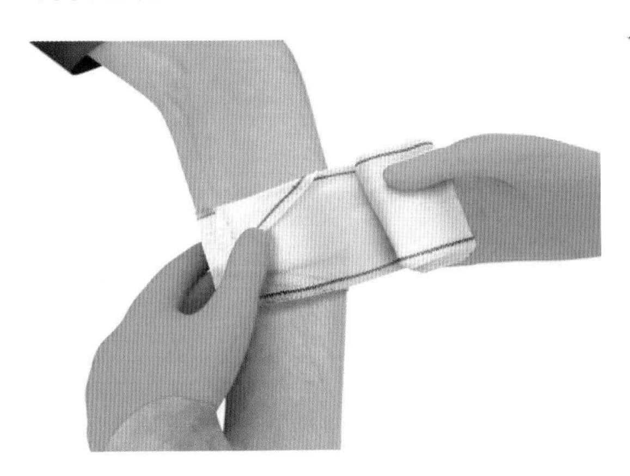

C 环形一圈压住

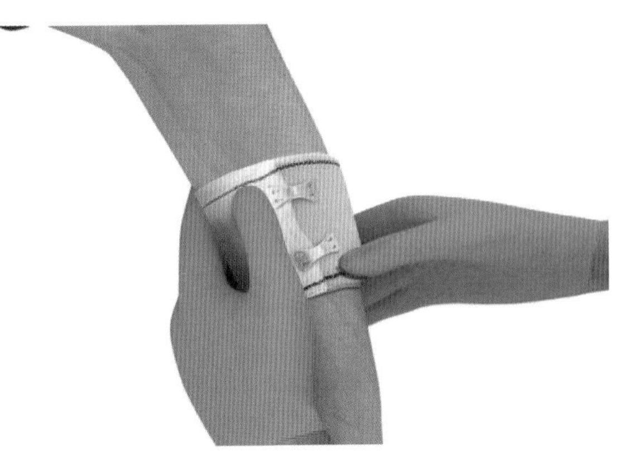

D 带扣扣紧绷带末端

图90 绷带环形包扎法

注意：

环形包扎时，绷带应完全盖住敷料。

绷带螺旋包扎法

用于四肢有较大伤口或者是同一部位有多个邻近的小伤口时。

方法是：

- 伤处覆盖敷料后，在敷料下方2厘米处，展开绷带，按环形法缠绕2圈（图91A）。
- 然后引绷带作单纯螺旋上升，每圈压住前一圈的1/2，直至超过敷料2厘米后，再环形包扎2圈（图91B）。
- 固定绷带末端。
- 检查末梢循环。

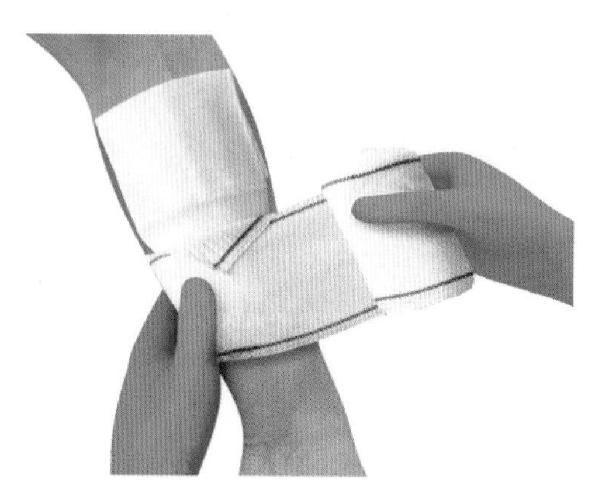

A 环形固定

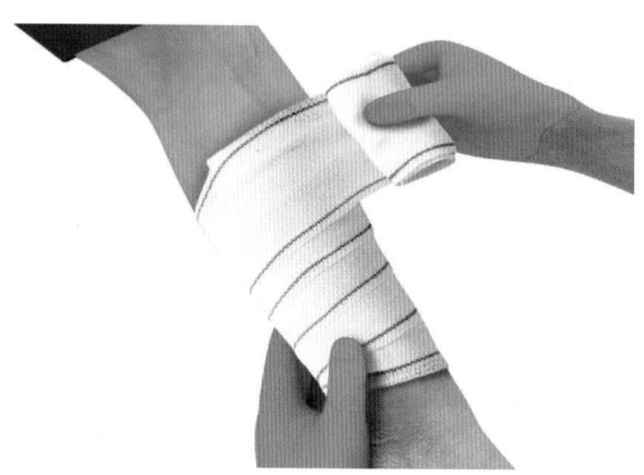

B 螺旋上升

图91 绷带螺旋包扎法

注意：

螺旋包扎时，要从下向上、从远心端向近心端包扎。

绷带螺旋反折包扎法

用于包扎四肢粗细差别较大的前臂、小腿时。

方法是：

- 伤处覆盖敷料后，展开绷带，按环形法缠绕2圈。
- 引绷带作单纯螺旋上升，每圈把绷带反折一次，盖住前圈的1/2（图92）。
- 如此反复，超过敷料2厘米后，再环形包扎2圈。
- 固定绷带末端。
- 检查末梢循环。

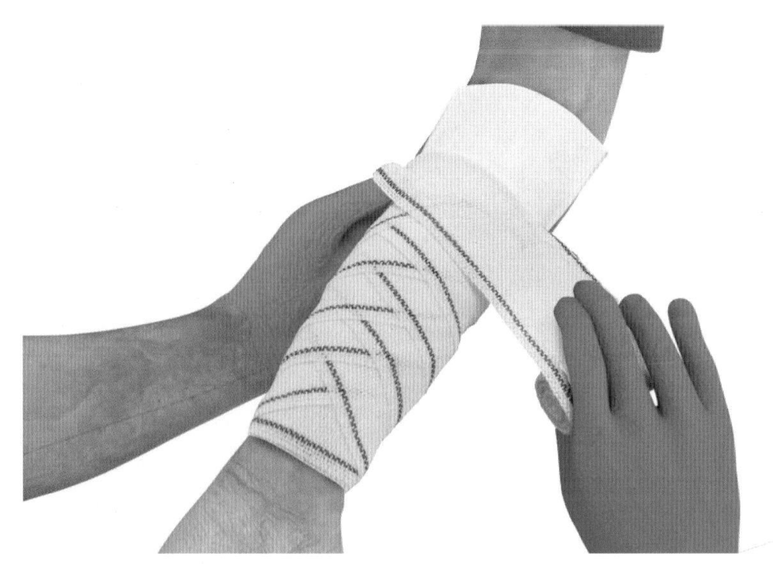

图92 绷带螺旋反折包扎法

注意：

反折时用一只手的拇指按住绷带正中，另一只手将绷带向下反折，并向后拉紧缠绕肢体。绷带反折处要避开伤口和骨突起处。

绷带“人”字形包扎法

用于肘、膝、足跟受伤时。

方法是：

- 将肘、膝、踝关节弯曲成90°，伤处覆盖敷料后，展开绷带，按环形法缠绕2圈。
- 引绷带一圈向上、一圈向下地包扎，每圈在正面和前一圈相交，并压盖前一圈的1/2（图93）。
- 超过敷料2厘米后，环形包扎2圈。
- 固定绷带末端。
- 检查末梢循环。

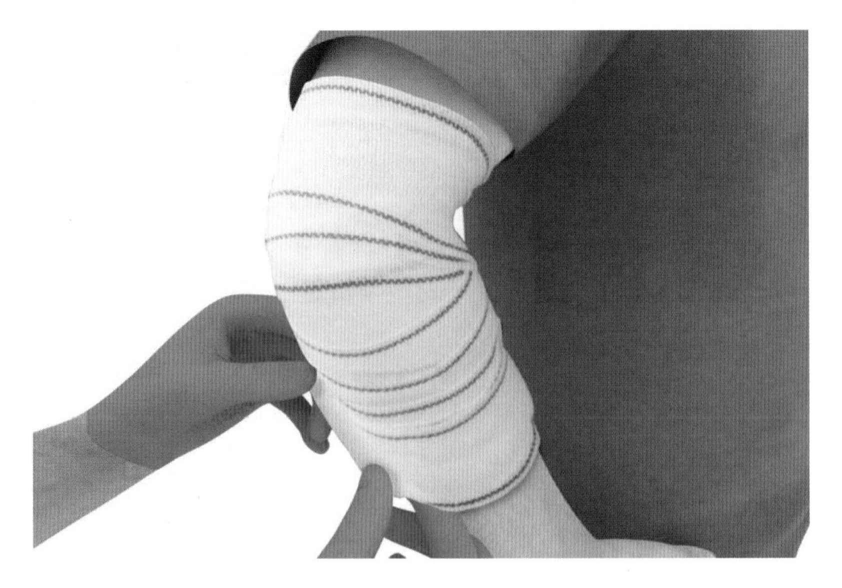

图93 绷带“人”字形包扎法

绷带“8”字形包扎法

用于手掌、手背、踝部和其他关节处受伤时。

方法是：

- 伤处覆盖敷料后，展开绷带，按环形法在腕部缠绕2圈。
- 引绷带从小指侧经掌面斜向示指绕至手背侧，环形缠绕四指一圈（图94A）。
- 再经小指由掌面绕到拇指侧手腕，环形绕手腕半圈至手小指侧。
- 如此反复经手和腕作“8”字缠绕，每圈覆盖前一圈的1/2，最后在腕部环形包扎两圈（图94B）。
- 固定绷带末端。
- 检查末梢循环。

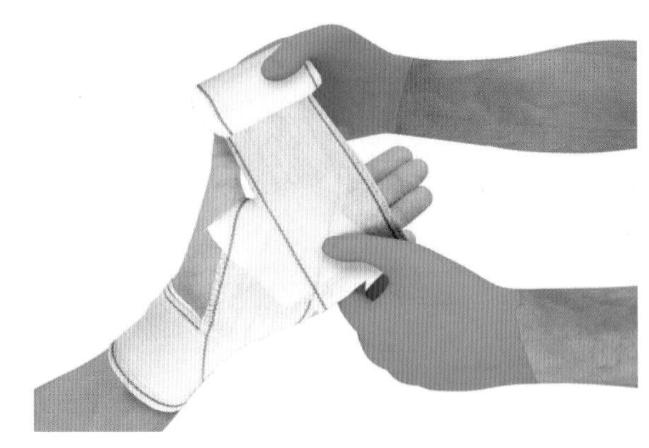

A 手腕和手指都有环形包扎

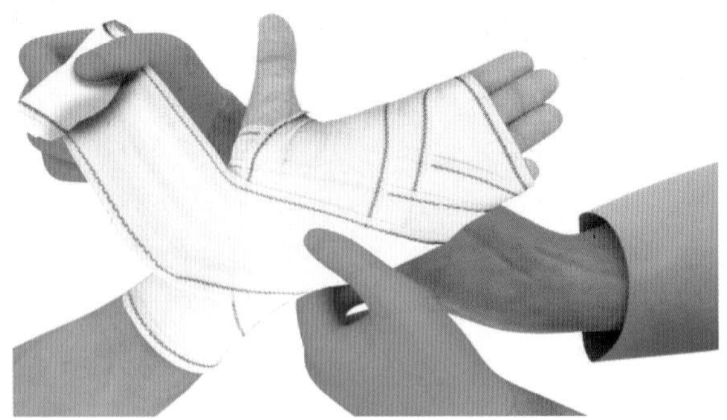

B 在手腕和手指之间作“8”字缠绕

图94 绷带“8”字形包扎法

绷带拇指包扎法

用于拇指受伤时。

方法是:

- 伤处覆盖敷料后，先用胶布固定。
- 展开绷带，按环形法在腕部缠绕2圈后，引绷带经手掌背侧绕拇指至掌前，缠绕拇指一圈（图95A）。
- 再沿掌前至手腕小指侧，经手背绕拇指至掌前。
- 如此反复，直至覆盖纱布完全。
- 在手腕部环形包扎。
- 固定绷带末端（图95B）。
- 检查末梢循环。

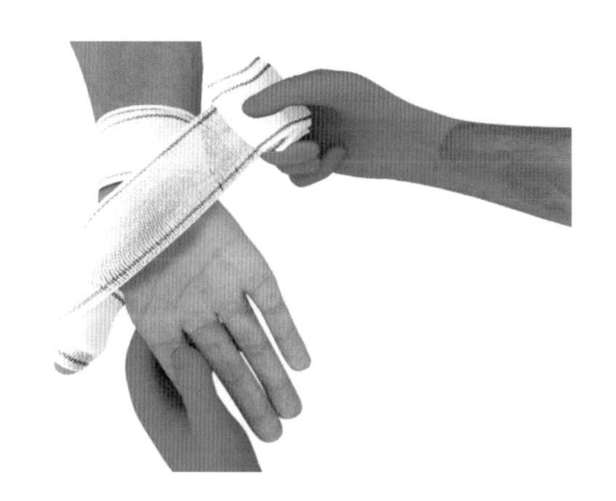

A 包扎时

B 包扎后

图95 绷带拇指包扎法

绷带足部包扎法

用于足背部受伤。

方法是:

- 伤处覆盖敷料后，展开绷带，按环形法在踝部缠绕2圈。
- 引绷带经足背至趾端，环形缠绕一圈。
- 由拇趾侧经足背绕至踝部，压住上一圈绷带的1/2（图96）。
- 如此反复，直至覆盖纱布完全。
- 在踝部环形包扎两圈。
- 固定绷带末端。
- 检查末梢循环。

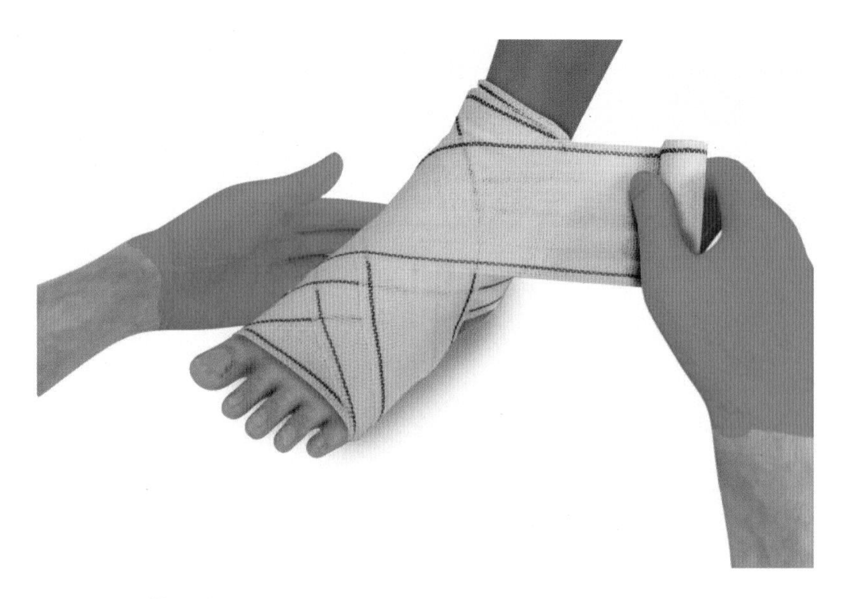

图96 绷带足部包扎法

绷带残端包扎法

用于肢体断离伤。

方法是：

- 伤处覆盖敷料后，展开绷带，于残端近侧关节下方用绷带环绕2圈。
- 引绷带向残端，绕过残端后至环形绷带背侧，固定后再反折向残端，绕过残端后至环形绷带前侧。
- 如此反复放射状反折成扇形，直至将残端完全覆盖（图97）。
- 在绷带反折处环形缠绕2圈。
- 固定绷带末端。

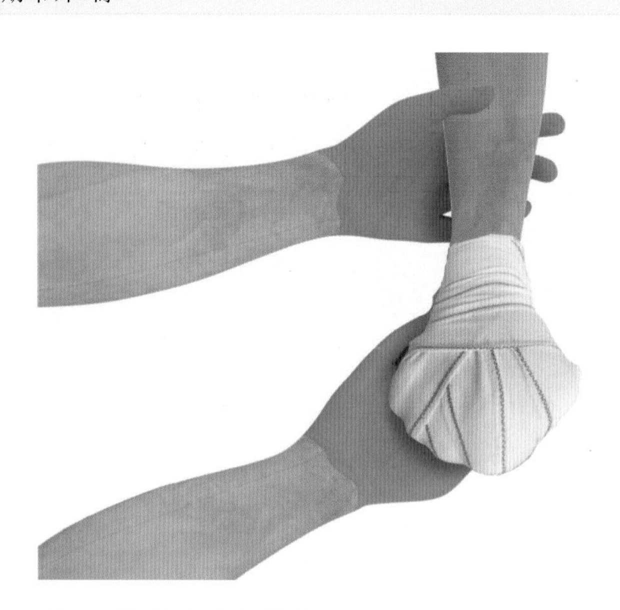

图97 绷带残端包扎法

平 结

打结时不要打死结、活结，应该打平结。平结简单易学、拆解方便。

打平结的方法是：

- 将左手的带子（蓝色）搭在右边的带子（红色）上（图98A）。
- 右手将蓝色带子绕红色带子一圈，并使两端带子朝上（图98B）。
- 右手将蓝色带子搭在左边的红色带子上（图98C）。
- 再用右手将蓝色带子绕红色带子一圈，拉紧两端（图98D）。
- 如需拆除，可将一端拉直（图98E）。
- 然后将带结推出（图98F）。

A 左搭右

B 蓝带绕红带一圈

C 右搭左

D 蓝带再绕红带一圈，拉紧

E 拉直一端

F 推出带结

图98 打平结的方法

三角巾头巾式包扎法

用于头顶部损伤。

方法是：

- 伤处覆盖敷料后，将三角巾底边折叠2厘米后置于眉毛上1～2厘米处，三角巾中点与眉心对齐，顶角垂向枕后（图99A）。
- 将底边经两耳上方向后拉紧，在枕部交叉，压住垂下的顶角（图99B）。
- 三角巾绕耳上到额部拉紧，打一个平结（图99C）。
- 将顶角向上反掖在底边内固定（图99D）。

A 放三角巾

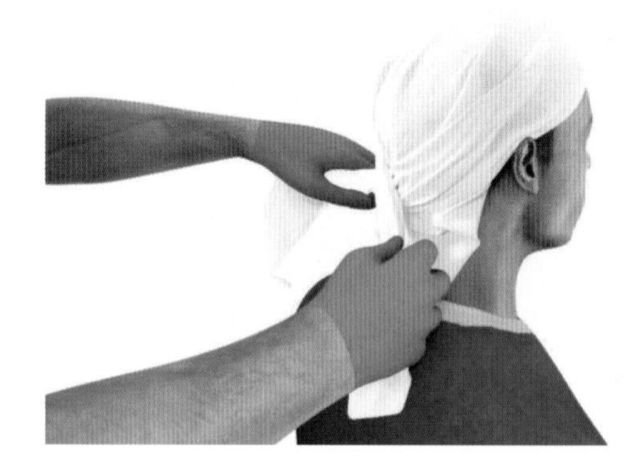

B 在枕后交叉

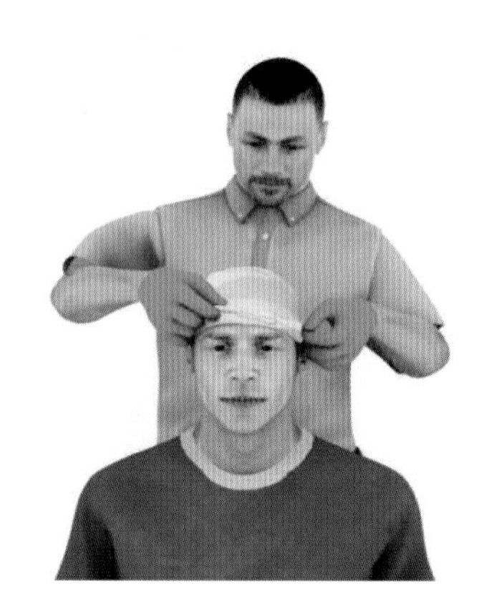

C 在前额打平结

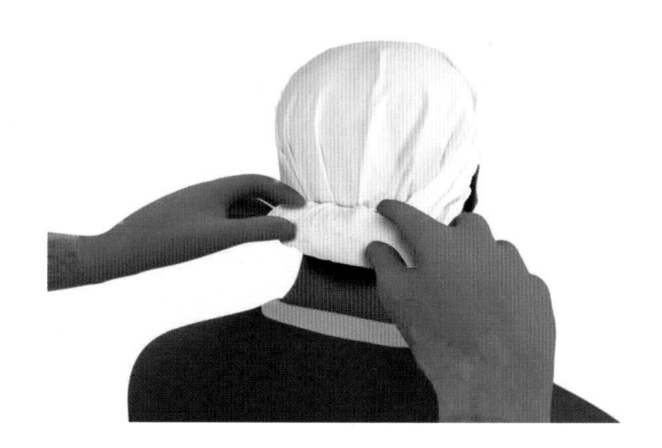

D 将顶角反掖

图99 三角巾头巾式包扎法

三角巾双眼包扎法

适用于眼睛损伤。即使只有一只眼睛损伤，也要同时包住双眼。

方法是:

- 伤处覆盖敷料后，请伤者轻轻压住纱布。
- 将三角巾叠成四指宽的带状巾，从后枕部经两侧耳上绕至眼部交叉。
- 再从耳下绕至枕后，打平结固定（图100）。

图100 三角巾双眼包扎法

头部伤口包扎法

头部受伤时，患者鼻孔、外耳道如果流出淡红色液体，应考虑颅底骨折，伤口与颅腔相通形成的鼻漏和耳漏。

包扎时不要压迫和填塞患者鼻孔、外耳道，应该让这些液体顺畅地流出，而不应让其回流，以免造成颅内感染和颅内压升高。

如骨折端刺破头皮或者有脑组织膨出时，不可把骨折端或者脑组织塞回颅内。

包扎方法是：

- 用大块干净的敷料盖好脑组织。
- 用三角巾卷成的保护圈套住膨出的脑组织。
- 用三角巾作头巾式包扎，以防挤压膨出的脑组织（图101）。

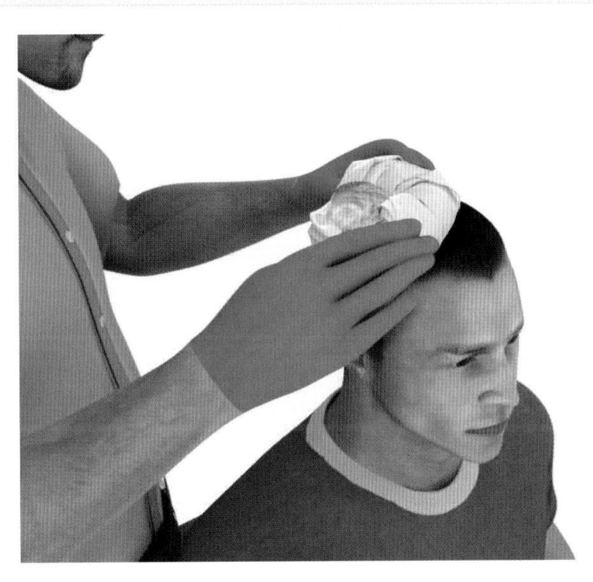

图101 头部伤口包扎法

胸部伤口包扎法

与胸腔相通的胸部伤口，当伤口直径大于或者等于气管直径时，气体将优先通过伤口，而不是通过气道，此时可造成开放性气胸。

开放性气胸是一种急危重症，需要紧急处理。施救者应立即用多层无菌纱布、塑料布或保鲜膜覆盖伤口，用胶带封住纱布、塑料布或保鲜膜四边，使伤口密闭（图102）。但是，密闭伤口有可能发生张力性气胸，患者出现呼吸困难、发绀、烦躁不安、气管移向健侧、颈静脉怒张等。此时，要撕开胶带或给予穿刺减压。

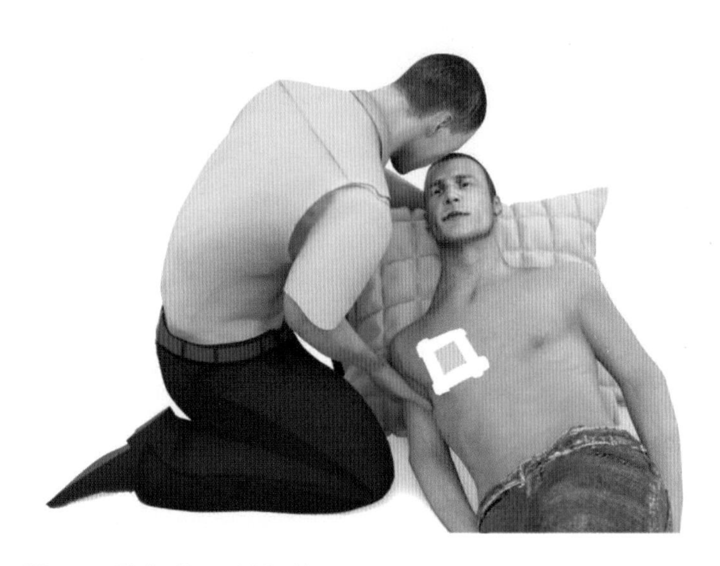

图102 胸部伤口封闭法

腹部伤口包扎法

与腹腔相通的腹部伤口，可用干净的敷料覆盖。

如有肠管或者网膜从创口处膨出，一定不要将其塞回腹腔内，以免加重腹腔污染。

包扎方法是：

- 用生理盐水淋湿的大块干净敷料覆盖膨出的肠管、网膜等内脏。
- 用三角巾卷成的保护圈套住膨出组织。
- 用干净的碗将其完全盖住。碗的容积要和膨出肠管或网膜的体积相等，不能用容积相对小的容器。
- 再用三角巾包扎，以防挤压膨出的肠管或者网膜（图103）。
- 患者取仰卧位，下肢屈曲，膝下可以垫枕头、棉被等物。

注意：

患者尽量不要咳嗽，严禁饮水、进食。

图103 腹部伤口包扎法

大悬臂带法

用于肩关节脱位、上肢外伤等。

方法是:

- 将伤肢屈肘成85°，将三角巾打开，顶角对准肘关节，底边和躯干平行，三角巾经患者手臂和胸部之间穿过（图104A）。
- 一个顶角绕过颈部，另一个顶角绕过伤臂反折越过伤侧肩部，两端在患侧锁骨上窝处汇合，加衬垫，打平结（图104B）。
- 整理三角巾，露出四个手指，以便于检查末梢循环。
- 肘部三角巾顶角旋转扭紧，塞入三角巾里（图104C）。
- 检查末梢循环（图104D）。

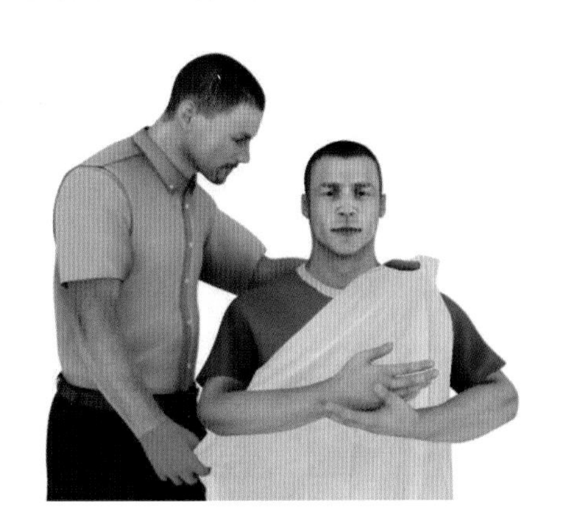

A 屈肘，放置三角巾

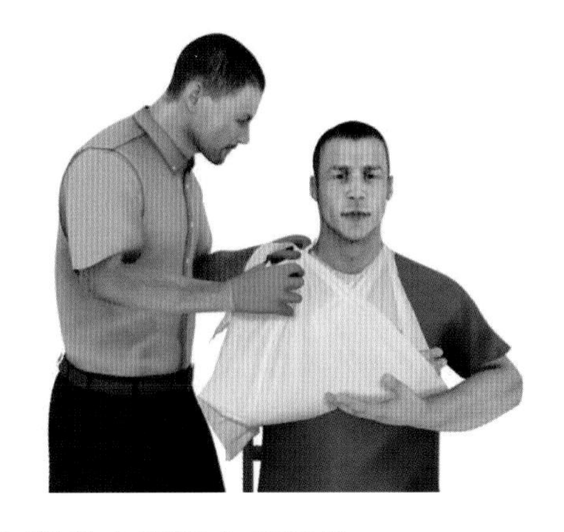

B 两个顶角在锁骨上窝打结

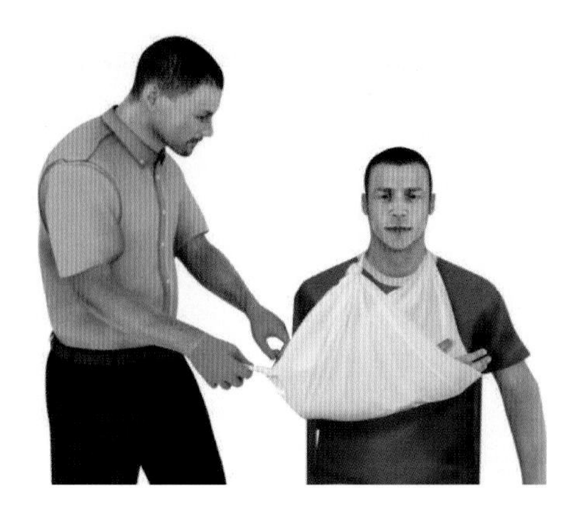

C 整理顶角

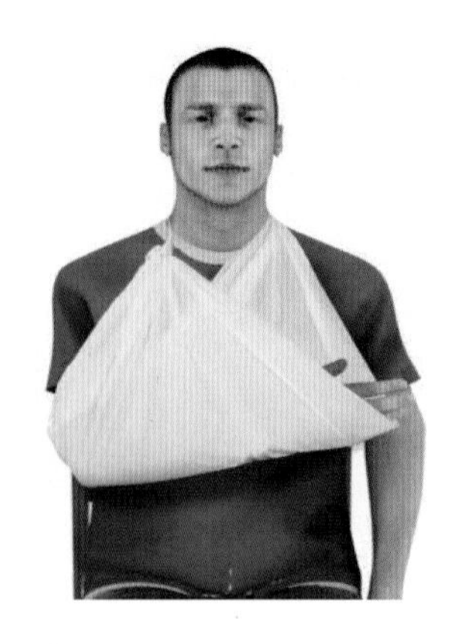

D 检查末梢循环

图104 大悬臂带法

小悬臂带法 

用于肩关节脱位、锁骨骨折、上肢外伤、胸部外伤等。

方法是：

- 将伤侧上肢屈肘成85°。
- 将三角巾打开，折叠成适当宽的条带，中央放在前臂的下1/3处，托住手腕。
- 两个顶角在颈后汇合，加衬垫，打平结（图105）。

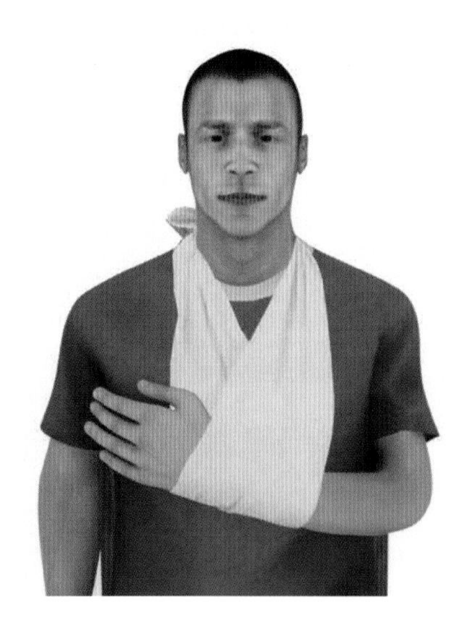

图105 小悬臂带法

固定法

骨折是骨骼受到外力打击，破坏了骨的连续性或者完整性，发生完全或者不完全断裂。

按骨折断端是否与外界相通，可分为闭合性骨折和开放性骨折。开放性骨折通常更加严重，需要紧急手术。

依据骨的完整性或者连续性是否全部中断，可分为完全性骨折和不完全性骨折。完全性骨折更加需要固定。

骨折一般都有明确的受伤机制，如车祸、高处坠落、长期剧烈运动等。

表 现

骨折后，患者有以下表现：

- 压痛和疼痛：伤处剧痛，移动时加重。在骨折部位有明显的压痛。
- 功能障碍：肢体丧失部分或者全部活动功能，如上肢骨折时不能提、拿，下肢骨折时不能行走，腰椎骨折时不能坐立。
- 畸形：肢体畸形，呈现短缩、弯曲或者转向等（图106）。
- 出血：开放性骨折时伤处外出血。
- 肿胀：骨折处皮下淤血和肿胀。

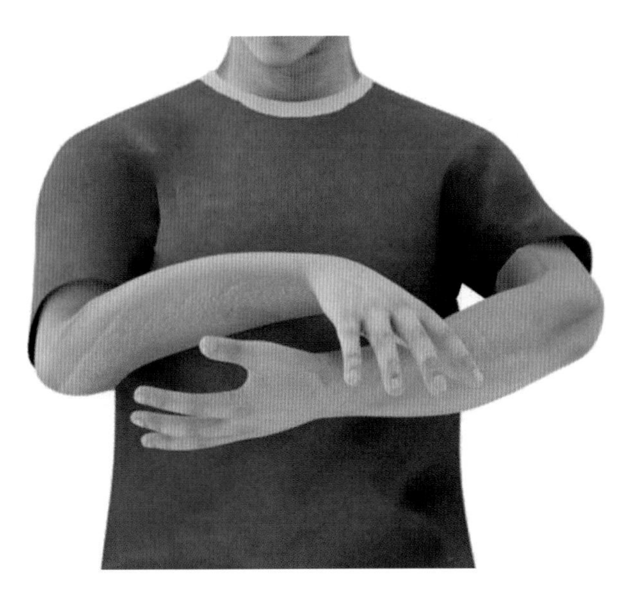

图106 肢体的骨折处畸形

骨折固定原则

给骨折患者进行固定时，应遵循以下原则：

- 确保环境安全，并取得患者同意。
- 戴手套、口罩和护目镜，做好个人防护。
- 骨折处如有出血，应先止血，后包扎，再固定。
- 不要在固定前移动患者，但如果患者周围环境不安全，则应采用手法固定以保护伤处，先脱离危险再固定。
- 如果合并有颈椎骨折，应优先固定颈椎，然后再固定其他骨折部位。
- 应先固定骨折的近心端，后固定骨折远心端，然后再固定骨折处的上下两个关节。
- 固定用的夹板不应直接接触皮肤。可以将纱布、三角巾、毛巾等软材料垫在夹板和肢体之间，特别是夹板两端、关节骨头突起部位和间隙部位，可以适当加厚垫，以免引起皮肤磨损或者局部组织压迫坏死。
- 疼痛严重者，可以服用止痛药。

骨折固定注意事项

对骨折进行固定时，施救者应注意以下几点：

- 开放性骨折不要冲洗，也不能涂药物。
- 外露的骨折端不要塞回伤口内。
- 夹板的长度应足够将骨折处的上下两个关节一起固定住。
- 骨折固定四肢时应露出指（趾）端，以便于观察肢体的血液循环。
- 骨折固定时捆绑带不要直接绑在骨折处。
- 捆绑带打结时要把结打在夹板上。
- 骨折固定时捆绑带应松紧适度。
- 伤后肢体会肿胀，要根据伤情变化适当调整夹板松紧度。

固定技术

骨折固定后可以减少骨折端的位移，减少骨折处骨骼、肌肉、血管、神经的损伤，减少疼痛，也利于保护伤口，减少感染，方便转运。

颈椎骨折

颈椎骨折常造成非常严重的后果，应该在抢救生命后优先处理。

颈椎骨折患者常有严重的外伤史，如高处坠落，重物打击头、颈、肩或者背部，跳水受伤，地震、塌方事故时被建筑物、泥土、矿石掩埋等。

颈椎骨折的表现

颈椎骨折常有关节严重脱位，多伴有脊髓损伤。其表现为：患者自觉颈部疼痛，不能点头和摇头；检查时颈部有压痛，局部症状严重；出现不同程度的瘫痪，如用手掐颈部、胸腹部、四肢皮肤时没有痛觉，肢体不能自主活动；患者呼吸困难或者自主呼吸消失。

颈椎骨折固定法

对于颈椎损伤的患者，施救者应该及时拨打120，并用手法进行固定。施救者应该牢记先稳定自己，再固定患者，避免加重颈椎损伤。

头锁

患者仰卧位，施救者双膝跪在患者头顶位置，并与患者身体成一条直线，先固定自己双手手肘（放在大腿上或者地上），双掌放在患者头两侧，拇指轻按额部，示指和中指固定其面颊，无名指及小指放在耳下，不可盖住耳朵。另一名施救者可用中指指示在胸骨正中，以便施救者调整患者头部位置。调整头部位置时应缓慢轻柔（图107）。

图107 头锁

胸背锁

患者坐位，如车祸发生后患者仍坐在车内时，施救者位于患者身体一侧，一手肘部及前臂放在患者胸骨之上，拇指及其余四指分开固定于患者颧骨，另一手臂放在患者背部脊柱上，拇指及其余四指分开锁紧枕骨，双手调整好位置后同时用力使其固定（图108）。注意手掌不要遮盖患者口鼻。

颈椎损伤时，禁止移动患者，施救者应有一人专职负责固定颈椎，直到120急救人员到达。

如果因为周围环境危险，必须移动患者，应该保护好颈椎，采用多人搬运法移动。

图108 胸背锁

上臂（肱骨）骨折

上臂（肱骨）骨折时，固定法有两种。固定后，患者的肘关节应弯曲，肩关节不能移动。

无夹板固定法

用三角巾固定。

- 用一条三角巾作大悬臂带，将前臂挂在胸前，于锁骨上窝处打结，悬吊伤肢。
- 在伤肢与躯干之间塞入衬垫。
- 再将一条三角巾叠成超过骨折上下两端的宽带，其中央正对骨折处，将上臂固定在躯干上（图109）。
- 检查末梢循环。

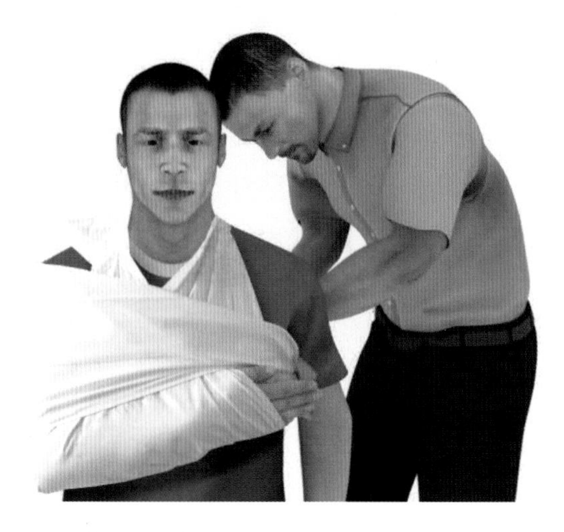

图109 上臂骨折三角巾固定法

夹板固定法

用铝塑夹板固定，也可以用木板替代。

- 将夹板打开，在健侧肢体上测量。调节夹板，从腋下经肘关节再反折到肩部，剩余的夹板反折，将夹板塑形成合适形状（图110A）。
- 将伤者肘关节弯曲，请伤者托住前臂。
- 将夹板放置于伤肢处（图110B）。
- 用两条三角巾折叠成窄带固定夹板，先固定骨折上端，再固定骨折下端（图110C）。
- 再用一条三角巾作大悬臂带，悬吊伤肢，使手略高于肘（图110D）。
- 检查末梢循环。

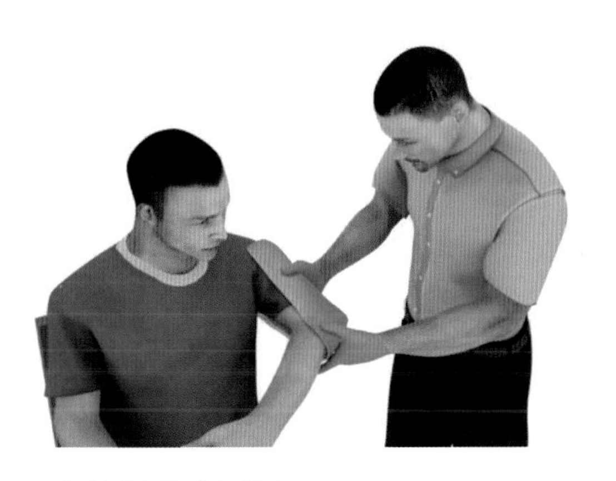

A 在健侧肢体测量

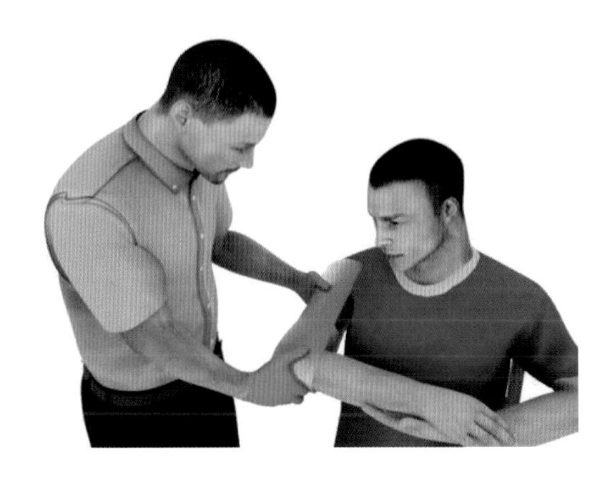

B 放置夹板

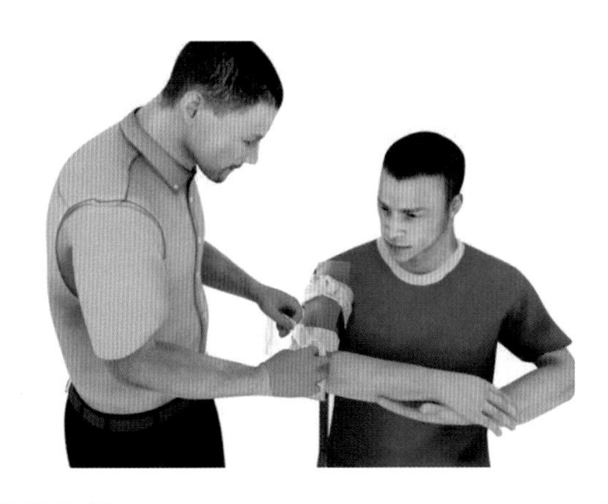

C 绑好夹板

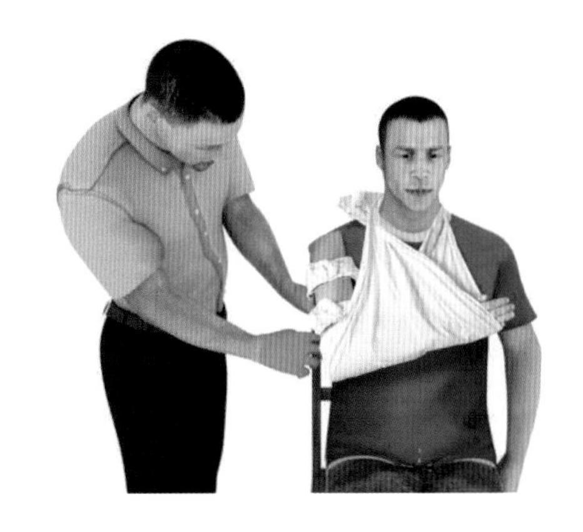

D 用三角巾作大悬臂带，悬吊伤肢

图110 上臂骨折夹板固定法

前臂（尺、桡骨）骨折

前臂（尺、桡骨）骨折时，固定法有两种。固定后，患者肘关节屈曲成直角，腕关节稍背屈，掌心朝向胸部。

无夹板固定法

用三角巾固定。

- 用一条三角巾作大悬臂带，将骨折的前臂悬吊于胸前，手略高于肘。
- 再用一条三角巾将上臂和大悬臂带一起固定于胸部，在健侧腋下打结（图111）。

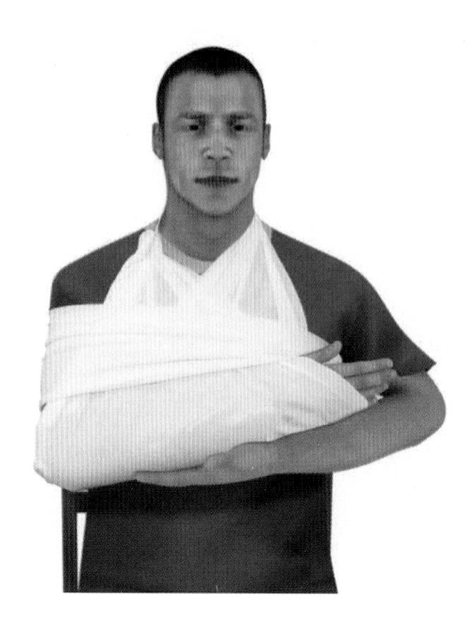

图111 前臂骨折三角巾固定法

夹板固定法

用铝塑夹板固定，也可以用木板替代。

- 将夹板打开，在健侧肢体上测量，对折，调节夹板长度为肘关节至手心，将夹板塑形成合适形状。
- 将受伤的前臂弯曲，请伤者用另一只手托住。
- 将夹板正确放置在伤肢上。
- 用两条三角巾折叠成窄带固定夹板。先固定骨折上端，再固定骨折下端（图112A）。
- 再用一条三角巾作大悬臂带，悬吊伤肢，使手略高于肘（图112B）。
- 检查末梢循环。

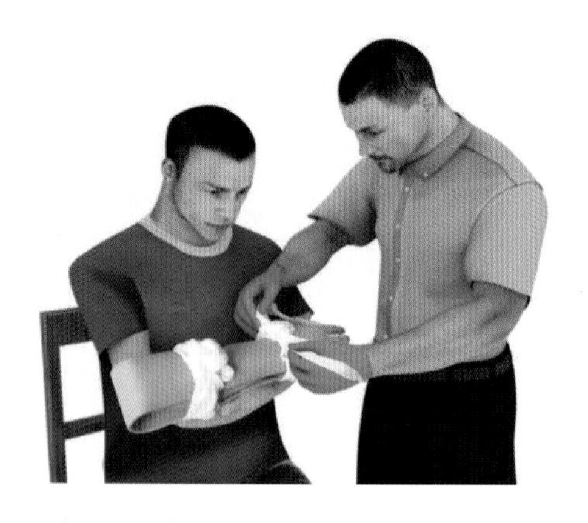

A 用夹板固定好伤肢

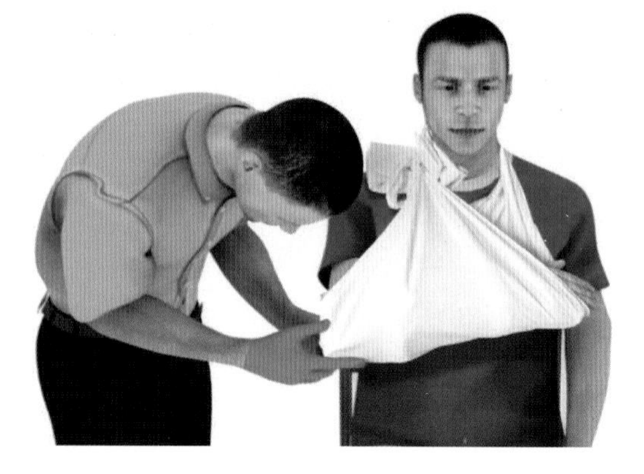

B 用三角巾作大悬臂带，悬吊伤肢

图112 前臂骨折夹板固定法

手指骨折

手指骨折固定的方法有两种。手指骨折固定时非常疼痛，如果是闭合性骨折，而且可以很快送达医院，则在现场可以不进行固定，患者自己用健侧的手托住保护，到医院再进行处置。

无夹板固定法

用2厘米宽的小布条或者绷带把伤指和邻近的健指捆绑，固定在一起（图113）。

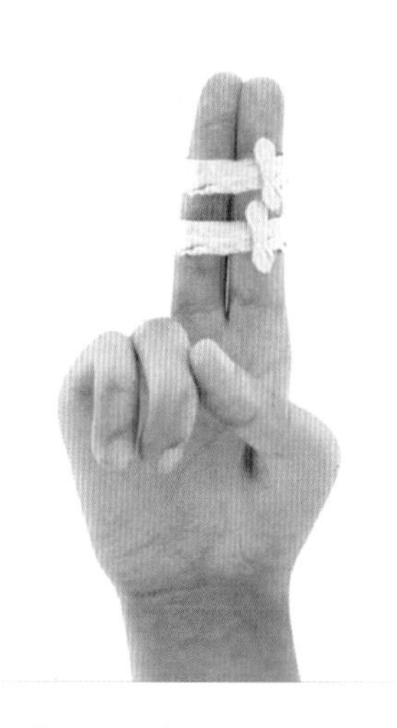

图113 手指骨折无夹板固定法

夹板固定法

用两块与伤指一样长的小木片或者剪成合适大小的铝塑夹板，置于手指前后两侧，用2厘米宽的小布条或者绷带捆绑，便固定在一起（图114）。

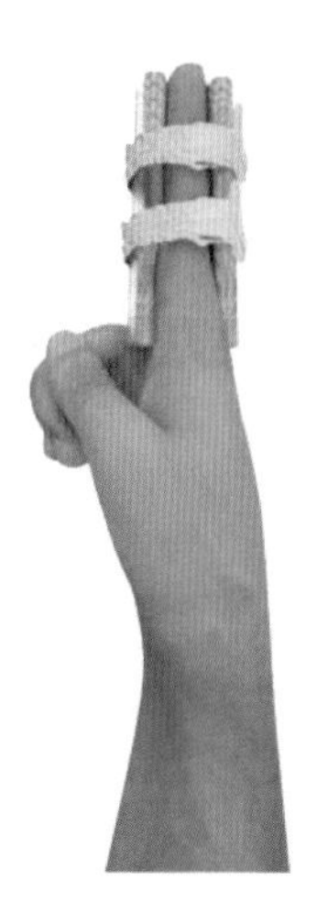

图114 手指骨折夹板固定法

骨盆骨折

骨盆骨折常造成大量内出血，患者非常疼痛，有休克表现。施救者应立即进行急救，方法如下：

- 患者呈仰卧位，双下肢并列，两足对齐。
- 准备四条三角巾。一条三角巾折叠成宽带从腰部后方穿过，三角巾上缘平齐髂前上棘的上缘；一条三角巾折叠成宽带从髋关节后方穿过，三角巾下缘平齐股骨的大转子；两条三角巾分别折叠成宽带并分别从膝关节、踝关节后方穿过。
- 从上到下依次固定三角巾。固定时，在两膝关节之间、两腿间隙和打结处放衬垫（图115A）。
- 踝关节处的宽带绕足成“8”字，在足背处加衬垫，打平结。
- 在患者两膝下放置软垫，膝部屈曲以减轻骨盆骨折的疼痛（图115B）。

A 固定骨盆

B 膝部屈曲

图115 骨盆骨折固定法

大腿（股骨）骨折

大腿（股骨）骨折时，固定法有两种。

无夹板固定法

用三角巾固定。

- 患者仰卧，伤肢伸直，健肢靠近伤肢，双下肢并列，两足对齐。
- 准备四条三角巾。三条三角巾分别折叠成宽带并分别从膝关节后方穿过，依次放于骨折上端、骨折下端、小腿中段；一条三角巾折叠成宽带从踝关节后方穿过。
- 依次固定骨折上端、骨折下端、小腿。固定时，在两膝关节之间、两腿间隙和打结处放衬垫。
- 在双踝关节之间加衬垫，宽带绕足成“8”字，在足背处加衬垫，打平结。
- 脱去伤肢的鞋袜，以便随时观察血液循环。
- 检查末梢循环（图116）。

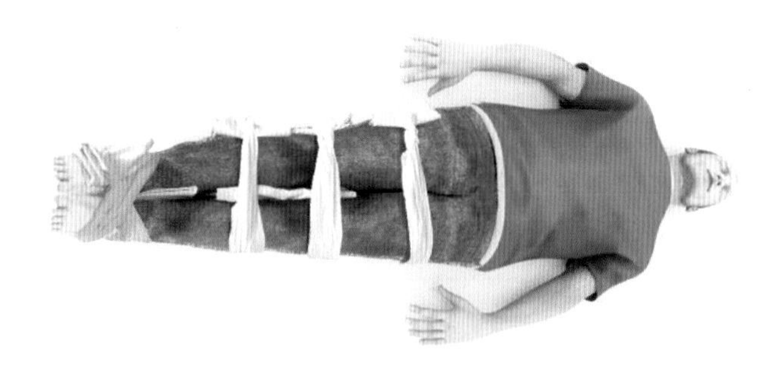

图116 大腿骨折三角巾固定法

夹板固定法

用铝塑夹板或木板固定。

- 患者仰卧，伤肢伸直。
- 用两块夹板放于大腿内、外侧。外侧从腋下到足跟，内侧从大腿根内侧到足跟（只有一块夹板则放到外侧）。
- 准备七条三角巾。三条三角巾分别折叠成宽带并分别从膝关节后方穿过，依次放于骨折上端、骨折下端、小腿中段；一条三角巾折叠成宽带从踝关节后方穿过；另三条三角巾分别折叠成宽带并分别从患者背部穿过，依次放于腋下、腰部、髋部。
- 依次固定骨折上端、骨折下端，再固定腋下、腰部、髋部、小腿、踝部。在夹板上打平结。
- 用一条三角巾折叠成宽带绕足成“8”字，在足背处加衬垫，打平结。
- 脱去伤肢的鞋袜，以便随时观察血液循环。
- 检查末梢循环（图117）。

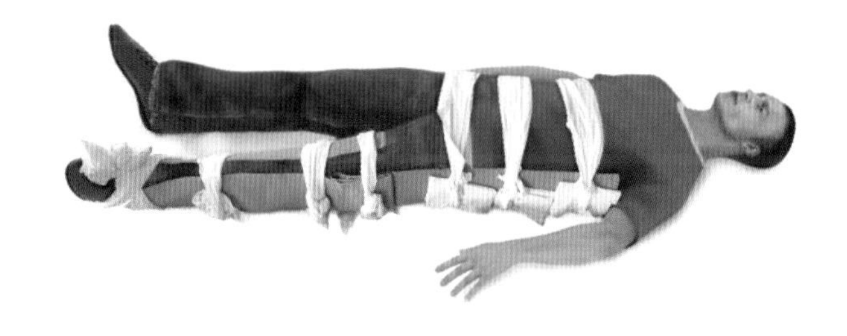

图117 大腿骨折夹板固定法

小腿（胫、腓骨）骨折

胫骨和（或者）腓骨骨折时，固定法有两种。

无夹板固定法

- 患者仰卧，伤肢伸直，健肢靠近伤肢，双下肢并列，两足对齐。
- 准备四条三角巾。三条三角巾分别折叠成宽带并分别从膝关节后穿过，依次放于大腿中段、骨折上端、骨折下端，一条三角巾折叠成宽带从踝关节后方穿过。
- 依次固定骨折上端、骨折下端、大腿。固定时，在两膝关节之间、两腿间隙和打结处放衬垫。
- 在双踝关节之间加衬垫，宽带绕足成“8”字，在足背处加衬垫，打平结。
- 脱去伤肢的鞋袜，以便随时观察血液循环。
- 检查末梢循环（图118）。

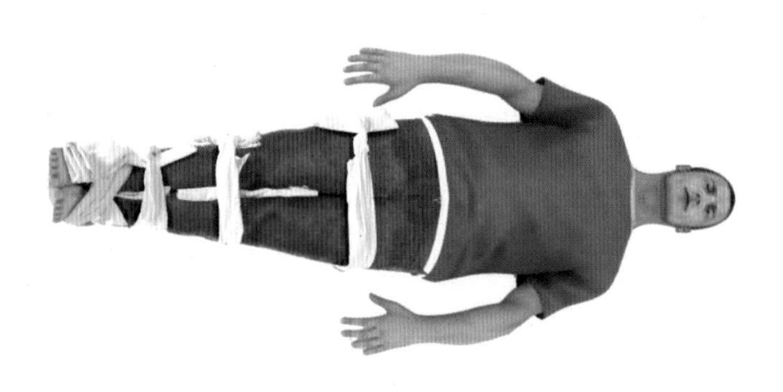

图118 小腿骨折三角巾固定法

夹板固定法

用铝塑夹板固定，也可以用木板代替。

- 患者仰卧，伤肢伸直。
- 用两块夹板对照健侧塑形后放于小腿内、外侧，夹板超过膝关节。
- 准备四条三角巾。三条三角巾分别折叠成宽带并分别从膝关节后穿过，依次放于大腿中段、骨折上端、骨折下端；一条三角巾折叠成宽带从踝关节后方穿过。
- 依次固定骨折上端、骨折下端、大腿。
- 用一条三角巾折叠成宽带绕足成“8”字，在足背处加衬垫，打平结。
- 脱去伤肢的鞋袜，以便随时观察血液循环。
- 检查末梢循环（图119）。

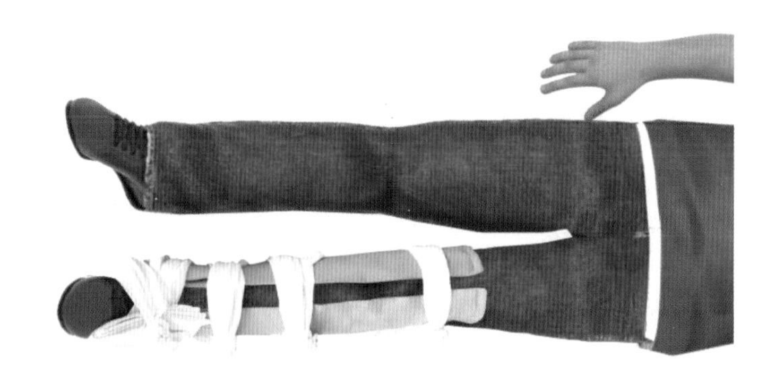

图119 小腿骨折夹板固定法。

踝（足）部骨折

用铝塑夹板固定。

- 患者仰卧，伤肢放成功能位。
- 打开夹板，对照健侧肢体塑形，在踝部周围及足底垫衬垫，在足底、足跟处放夹板使足跟与小腿垂直。
- 用绷带在小腿作环形包扎，踝部作“8”字形包扎，足部作环形包扎固定。
- 脱去伤肢的鞋袜，以便随时观察血液循环。
- 检查末梢循环（图120）。

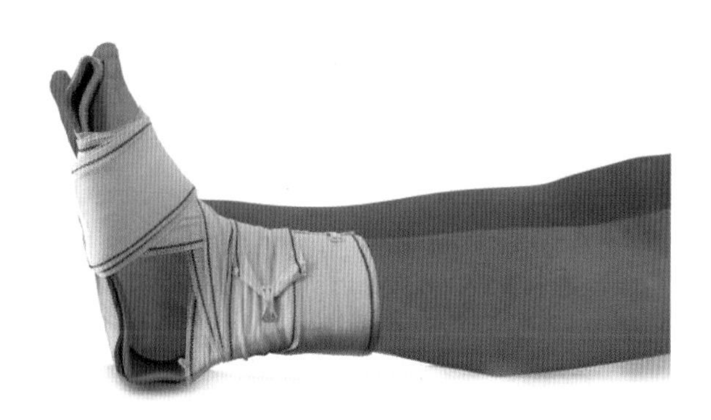

图120 踝部骨折夹板固定法

搬运法

搬运是指徒手或者利用器材将患者从事发现场搬至安全区域的转送过程。现场急救时，一般就地抢救，不要轻易搬动患者。当环境不安全，或者需要转运至担架、门板、救护车上时，需要搬动患者。

搬运法是一项重要的急救技术，将搬运视作简单体力劳动是一种非常错误的观念。搬运的方法是否正确，对患者的抢救、治疗和预后都是至关重要的。特别是某些病情严重的患者，如脊髓损伤的患者，搬运不当可能造成患者瘫痪甚至死亡。

注意事项

搬运最基本的要求是不能加重患者的病情。如果施救者不能确定患者病情，请等待专业急救人员到来再搬运。搬运时，应注意以下几点：

- 搬运前，一般应先进行身体检查，并对病情进行适当的救治，再选择合适的搬运方法进行搬运。
- 搬运时动作应该轻、稳，避免生硬、暴力地拉、拽、拖、扯等动作，确保患者安全、舒适。
- 多人搬运时应该指定一人发令，其他人听指令同时行动，保持行动有序、一致。
- 平地搬运时，患者头在后，脚在前。向高处搬运时，患者头在前，脚在后，保持水平。向低处搬运时相反。
- 搬运过程中，行走在后的施救者应该密切观察患者病情变化，要询问患者的感受。如出现心脏骤停、大出血、气道梗阻等病情危重的情况应立即停止搬运，就地抢救。

搬运方法

搬运方法有很多种，施救者在选择时，应根据患者的病情、可用的资源，来选择合适的搬运方法。

单人徒手搬运法

适用于病情较轻、能够站立行走的患者，或者是紧急情况下将患者迅速搬出危险区。

扶行法

适用于搬运神志清楚、一侧肢体受伤但还能行走的患者。

- 施救者位于患者伤侧，一只手从患者的背后转向对侧抓紧其衣服或者腰带作支持。
- 施救者的另一只手抓住患者的手臂绕过自己的双肩，使患者依靠着施救者的身体。
- 开步时，先移动内侧的脚，如“二人三足”般前进，步调一致、缓慢地移动（图121）。

图121 扶行法

背负法

适用于神志清楚、两侧上肢没有受伤，或仅有轻伤、没有骨折的患者。

- 施救者背向患者蹲下，患者双臂从肩部环抱于施救者胸前。
- 施救者双手环抱患者双侧大腿，保持背部挺直，缓慢站起。
- 施救者双手分别拉住患者双手，上身略向前倾斜行走（图122）。

A 背负法侧面

B 背负法正面

图122 背负法

注意：

呼吸困难、胸部创伤、腹部创伤患者不能用这种方法搬运。

抱持法

适用于神志清楚、体重较轻、病情较轻或只有手足部受伤的患者。

- 施救者在患者一侧，面向患者蹲下。
- 施救者一只手在患者大腿下，另一只手在患者背部。
- 患者双手抱紧施救者的颈部。
- 施救者平稳抱起患者行进（图123）。

图123 抱持法

拖拉法

适用于紧急情况下、不能行走的患者。

- 患者平躺，双手平放于胸前。
- 施救者在患者头端，双手从患者双侧腋下穿过抓住患者同侧手腕及手臂（图124A），或者双手分别抓住患者双侧肩部的衣服（图124B），或者用大的毛毯等铺在地上，将患者移到毛毯上，然后拉住毛毯（图124C）。
- 施救者向后用力拖，撤离危险区域。

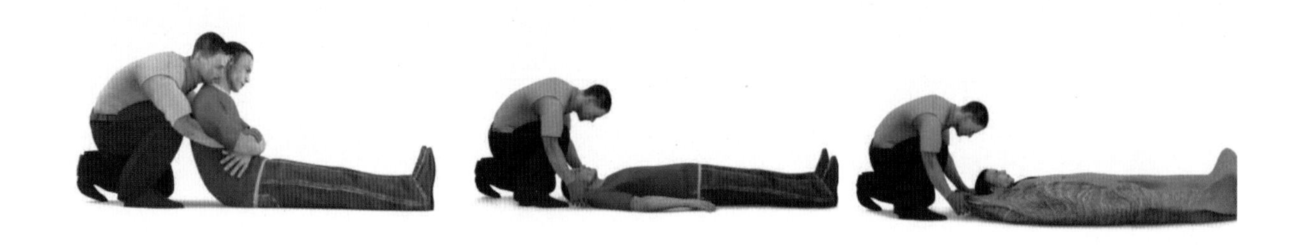

A 拖腋法　B 拖衣法　C 毛毯拖行法

图124 拖拉法

注意：

拖拉法只适用于不能使用其他方法而必须紧急将患者移开危险环境的情况。

爬行法

适用于在狭窄空间或者浓烟的环境下抢救患者。

- 患者平卧，施救者用布条、三角巾或毛巾将患者双手绑住。
- 施救者双手从患者腋下穿过撑地，双膝分开从患者躯体上方骑跨跪地。
- 把患者双手扣于施救者颈后。
- 施救者抬头使患者头、颈、肩部离开地面，爬行前进（图125）。

图125 爬行法

双人徒手搬运法

如果施救者人手足够，或者是患者病情不适合采用单人徒手搬运法，可以采用双人徒手搬运法。

双人搭椅式

适用于神志清楚、单手或者双手能抓住施救者的患者。

- 两名施救者面对面站，各自伸出一只手互相握住对方手腕（图126A）。
- 两名施救者蹲下，让患者坐到施救者紧握的手上，并搂住施救者颈部（图126B）。
- 两名施救者另一只手在患者背后交叉，抓住患者腰带。
- 两名施救者同时站起，步调一致地移动。

A 互相握住对方手腕

B 患者坐于手搭的椅上

图126 双人搭椅式

双人轿杠式

适用于神志清楚、单手或者双手能抓住施救者的患者。

- 两名施救者面对面站，各自右手紧握自己的左手手腕，再互相用左手紧握另一名施救者的右手手腕，形成“口”字形（图127A）。
- 两名施救者蹲下，让患者坐到施救者紧握的手上，并搂住施救者颈部（图127B）。
- 两名施救者同时站起，步调一致地移动。

A 搭成“口”字椅

B 患者坐于手搭的椅上

图127 双人轿杠式

双人拉车式

适用于狭窄的地方搬运。

- 患者双手前臂放在胸前，双手互握前臂。
- 一名施救者蹲在患者的头端，两手从患者腋下穿过，双手紧抓患者手腕及前臂。
- 另一施救者蹲在患者一侧，可将其两脚交叉（图128A），抬起患者踝部；也可蹲在患者两腿之间，左右手分开，分别抓紧患者膝关节下方（图128B）。
- 两名施救者同时站起，后方施救者发令，步调一致、一前一后地移动。

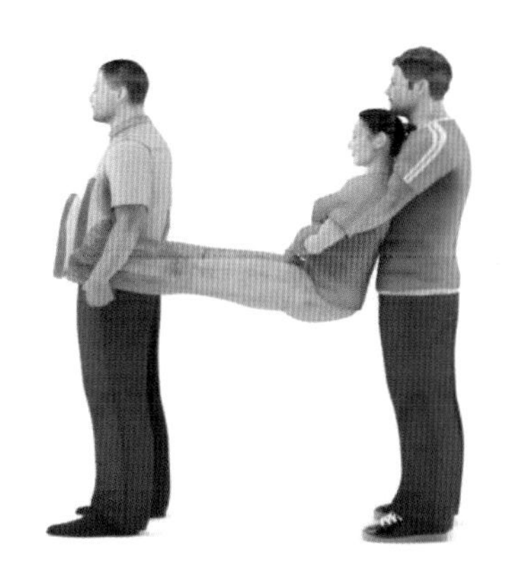

A 前后扶持法

B 拉车式

图128 双人拉车式

多人搬运法

怀疑患者有脊柱受伤，或者是不适合采用单人、双人徒手搬运法，且施救者人手足够时，可以采用多人搬运法。

三人同侧搬运法

- 患者仰卧，三名施救者单膝跪地，位于同一侧，双手平行插入患者躯体下，手掌向上抓住患者。第一人双手伸入患者颈部、背部，第二人双手伸入患者腰部、臀部，第三人双手伸入患者大腿、小腿（图129A）。
- 由中间的施救者指挥，三名施救者同时发力，平平抬起患者至施救者大腿上（图129B）。
- 三名施救者再同时站立，将患者抬起（图129C）。
- 由站在头端的人发令，三名施救者步调一致地向同一方向移动。

A 抓住患者

B 抬起患者至大腿上

C 同时抬起患者

图129 三人同侧搬运法

四人担架搬运法

对骨折、怀疑脊柱损伤的患者，采用担架搬运。常用的担架有铲式担架、脊柱担架、帆布担架、折叠担架。

- 患者平躺在担架上，必要时系好约束带固定。
- 四名施救者分别站在担架四角，选定有经验者指挥，靠近担架侧的膝竖立（图130A）。
- 一名施救者指挥，四名施救者同时抬起担架至大腿上（图130B）。
- 四名施救者同时站立抬起担架，站立时，头颈和腰部要伸直、挺直，用腿部力量支撑站起，以防止扭伤腰部（图130C）。
- 行走时步调要一致。放下时，应同时立定，同时放下，且放下时靠近担架侧的膝竖立。

A 抓住担架

B 抬起担架至大腿上

C 同时站立

图130 四人担架搬运法

自制担架

紧急情况下，可以就地取材，用木板、门板、毛毯、背包、救生衣、绳子等自制担架。

背包制作担架

适用于紧急情况下、不能行走的患者。

- 将两个60升以上的户外背包的背带朝上、尾部对尾部放好（图131A）。
- 将其中一个背包背带解开，绕过另一个背包的背带，然后再系好（图131B）。
- 将衣服等柔软的物品填充到其中一个背包的顶包，做成头枕（图131C）。
- 将患者平放于做好的临时担架，用背包的各个系带固定患者（图131D）。

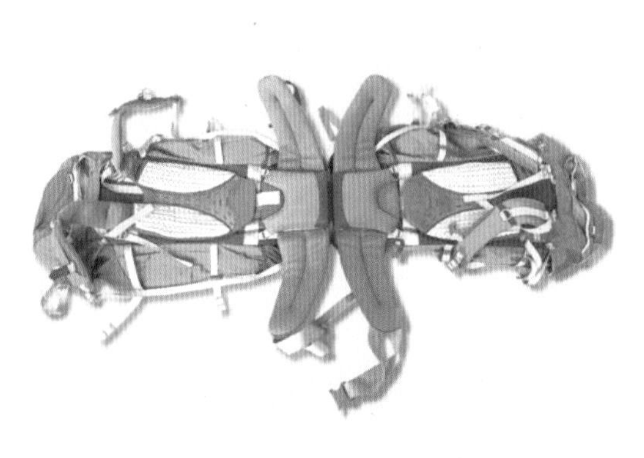

A 放好背包

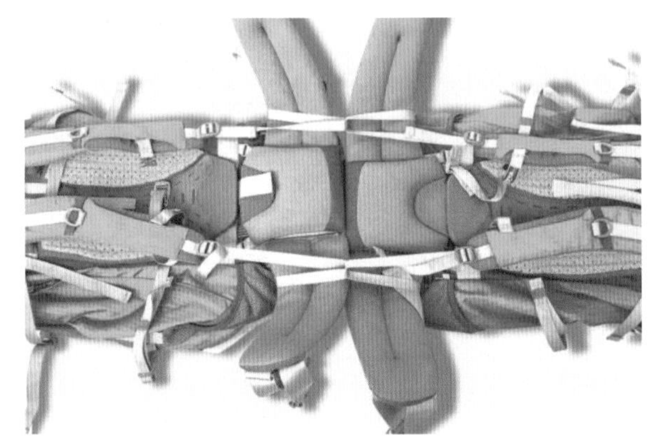

B 系好背带

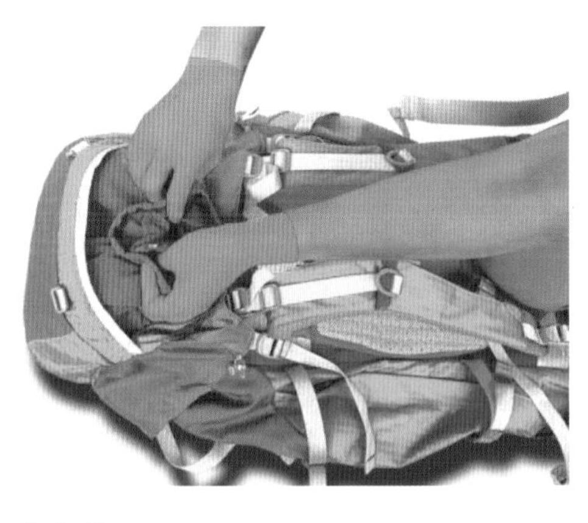

C 填充成头枕

D 固定患者

图131 用背包制作担架

外套制作担架

适用于紧急情况下、不能行走的患者。

- 将2～3件外套拉链拉好，然后袖子反串至外套内侧（图132A）。
- 将一根结实的棍子依次穿过这些外套的同一侧的一只袖子（图132B）。
- 将另一根棍子同样操作（图132C）。

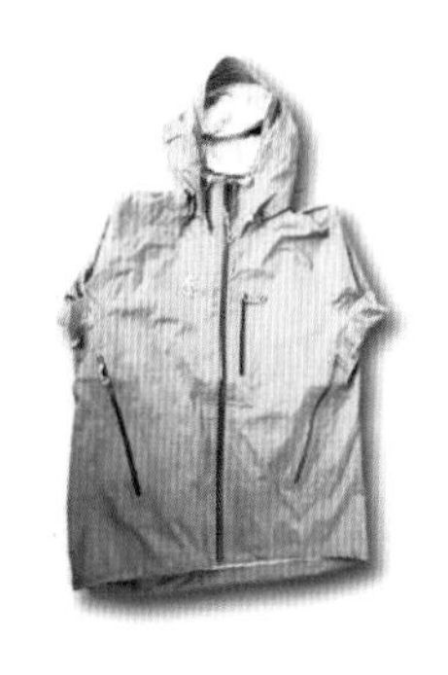

A 整理好外套

B 穿好一根棍子

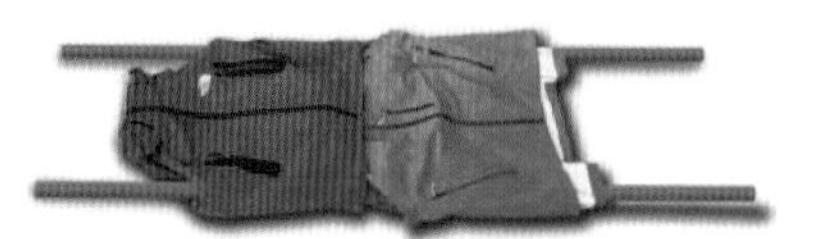

C 穿好另一根棍子

图132 用外套制作担架

绳子制作担架

适用于紧急情况下、不能行走的患者。

- 找两根结实的棍子。
- 一人将两木棍拿在身体两侧，宽度与肩同宽。
- 另一人抓住绳子一端制作一个双套结，放于一根棍子上，再依次制作多个双套结，分别依次放于两根棍子上，直到结好的绳子展开后与患者身高接近（图133A）。
- 整理多余的绳子，可穿行于已结好的绳子中间（图133B）。
- 双套结的制作如图（图133C、图133D）。

A 穿好绳子

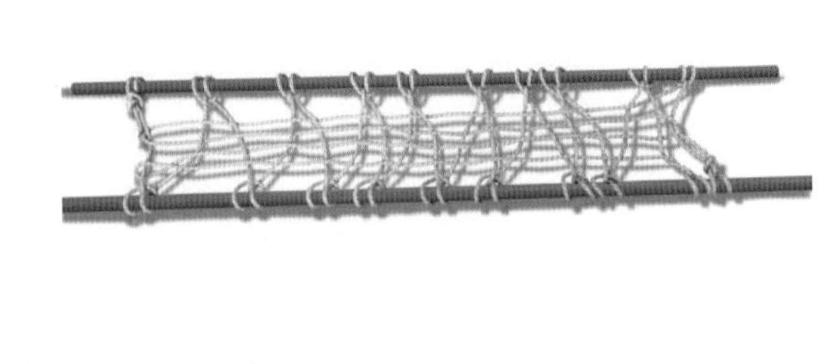

B 整理绳子

C 制作双套结

D 套上棍子

图133 用绳子制作担架

第八篇 急性中毒急救

学习目标

阅读完本篇后，我们应该：

了解急性中毒的一般概念

掌握中毒的一般急救方法

掌握食物中毒的急救方法

掌握一氧化碳、氯气中毒的急救方法

掌握农药中毒的急救方法

掌握急性酒精中毒的急救方法

一般概念

中毒是指有毒物质通过吞入、吸入、注入、皮肤接触等途径进入人体，达到中毒剂量后对人体产生的损害，可分为急性中毒和慢性中毒。毒物可使局部损伤，也可造成全身性损伤，影响多个系统。

毒物的种类不同，对人体造成影响的机制不同，表现出来的症状也不同。在现场判断患者是否中毒的主要依据是毒物接触史和表现出来的症状，同时应排除其他相似疾病。

急救方法

对中毒患者的急救，应遵循以下顺序和原则：

- 施救者在靠近患者前，应评估现场环境是否安全。如果环境不安全，或者中毒原因不明，请远离现场至安全区域，并迅速报警。
- 立即呼叫120及其他应急救援部门，并取来AED和急救箱。
- 做好个人防护，戴手套、护目镜和（或）防毒面具，保护好口、鼻、眼的安全，如果是有腐蚀性的毒物，应穿戴好防腐蚀的衣物，如防化手套、防化服和防化靴。
- 寻找附近是否有毒物标识，是否有容器在排放毒物，及时切断毒源。
- 迅速终止患者与毒物的继续接触，对于气体中毒患者要将其移动至空气新鲜、通风的上风口区域。
- 检查意识、呼吸、循环，开放气道，去除口、鼻腔异物。
- 迅速清除进入患者体内的毒物和没有被吸收的毒物，如除去衣物，冲洗皮肤、眼睛，催吐，处理伤口，等等。
- 如有可能，尽早使用特效解毒剂。
- 对症支持治疗，如抗过敏、保暖等。
- 陪伴在患者身边，直到120急救人员到达，将引起中毒的物品一并移交。

食物中毒

进食可疑食物后，短期内出现呕吐、腹泻、抽搐、意识障碍等症状，结合同时进餐的人也出现相同症状的特点，可以初步判断为食物中毒。

食物中毒患者的腹泻一般是水样便，有时会是脓血便。

急救方法

判断患者发生了食物中毒，施救者应采取以下方法进行急救：

- 在进食后1小时内，患者神志清楚，可以通过反复喝200～400毫升的温水后，用手指刺激舌头根部催吐，直至吐出的呕吐物清亮和胃内食物完全吐完。也可以口服吐根糖浆15～30毫升，再加两杯温水催吐。
- 呕吐、腹泻可导致脱水引起休克，要立即补水。清醒的患者可以口服含有电解质的液体，如淡盐水、溶解了口服补液盐的水或者某些运动饮料。
- 酒精中毒患者应侧卧休息，及时清除口腔内的呕吐物。神志清楚的患者可以给予含糖饮料。
- 肉毒梭菌食物中毒患者可出现眼肌瘫痪，呼吸、吞咽和言语困难，应尽快送至医院注射肉毒抗毒素。
- 食用鱼类和贝类可能引起过敏反应，施救者应给予抗过敏处理，必要时送医院。
- 尽可能明确可疑食物的种类、摄入时间、摄入量和进食人数。
- 保护现场，收集中毒者的呕吐物、剩余食物、排泄物等标本，交接给120急救人员。

注意：

只有清醒的患者才可以催吐。催吐时患者取端坐位或者半卧位。要及时清理呕吐物，不要引起误吸，以防出现呼吸道异物梗阻。

气体中毒

常见的急性气体中毒包括窒息性气体中毒（氰化物、一氧化碳等）和刺激性气体中毒（如光气、氯气、二氧化硫等）。

窒息性气体会造成组织缺氧。刺激性气体对眼和呼吸道有刺激作用，并可致全身中毒。

一氧化碳中毒

煤、天然气或者其他含碳物质燃烧不完全会产生一氧化碳，它是无色、无臭、无味、难溶于水的气体。

日常用的天然气中混有乙硫醇，乙硫醇有臭味，用作天然气的警觉剂，以警示天然气泄漏。

中毒表现

一氧化碳吸入体内，会与氧气争夺血液中的血红蛋白，使氧气不能与血红蛋白结合，导致人体缺氧。

轻者出现头晕、头痛、眼花、心悸、胸闷等表现。

如果吸入时间长，会出现皮肤如樱桃色般潮红、冰凉，烦躁不安，精神极度兴奋或者错乱，呼吸困难，无力，肌肉痉挛或者抽搐。

严重时患者出现昏迷、大小便失禁、瞳孔散大、呼吸衰竭，甚至死亡。

急救方法

判断患者发生了一氧化碳中毒，施救者应采取以下方法进行急救：

- 施救者在靠近患者前，应评估现场环境是否安全。如果燃气泄漏已不可控制，请远离现场至安全区域，并迅速报警。
- 立即呼叫120，并取来AED和急救箱。
- 做好个人防护，戴防毒面具（图134）或者用湿毛巾捂住口鼻。
- 立即打开门窗通风，迅速关闭燃气开关。
- 把患者移到通风良好、空气新鲜的安全地方。
- 松解患者衣扣，保持呼吸道通畅，清除口鼻分泌物，必要时给予人工呼吸。
- 注意保暖。
- 患者无反应、无呼吸时，立即心肺复苏。

图134　戴上防毒面具

注意：

严禁在燃气泄漏现场打电话，开电灯，点火。

患者如果中毒时有神志不清表现，即使救出来后已经清醒，也应到医院进一步诊疗。

氯气中毒 

氯气为黄绿色有强烈刺激性气味的气体，对黏膜有刺激和氧化作用。

中毒表现

吸入过量氯气，会直接损伤呼吸系统，患者出现口鼻发炎、咳嗽、哮鸣音、呼吸困难、胸闷等症状，严重者咳粉红色泡沫痰，甚至引起休克、窒息、心脏骤停。

急救方法

判断患者发生了氯气中毒，施救者应采取以下方法进行急救：

- 施救者在靠近患者前，应评估现场环境是否安全。如果氯气泄漏已不可控制，请远离现场至安全区域，并迅速报警。
- 立即呼叫120，取来AED和急救箱。
- 做好个人防护，戴防毒面具或者用湿毛巾捂住口鼻。
- 迅速将患者撤离现场至上风处、不受氯气影响的安全区。如果有防毒面具，应尽快协助患者戴上。
- 松解患者衣扣，保持呼吸道通畅，清除口鼻分泌物，必要时给予人工呼吸。
- 患者无反应、无呼吸时，立即心肺复苏。

农药中毒

因故意或者误服农药引起的中毒，常见的毒物有百草枯、灭鼠剂、有机磷农药等。

中毒原因

常见的中毒原因有：

- 口服中毒，包括自杀、误服，或者食用含农药残留量过高的蔬菜。
- 皮肤接触毒物引起中毒。
- 通过呼吸道吸入毒物中毒，如农民喷洒农药时。

中毒表现

因为毒物品种不同，患者的症状也各不相同：

- 百草枯中毒多是口服所致，也可由皮肤接触和呼吸道吸入所致。中毒表现为口腔烧灼感、吞咽困难、腹痛、腹泻、胸闷、呼吸困难，严重者呼吸衰竭而死亡。
- 灭鼠剂如毒鼠强、溴鼠隆等，中毒表现为广泛出血、抽搐、昏迷等。
- 有机磷农药如乐果、敌百虫、稻瘟净等，中毒表现为头晕、头痛、乏力、恶心、呕吐、流涎、多汗、瞳孔缩小、肌束颤动、呼吸困难、腹痛、腹泻、步态蹒跚，甚至昏迷、呼吸麻痹、心脏骤停，部分患者呼气时可闻到蒜臭味。
- 有机氮农药如杀虫脒，中毒表现为头晕、头痛、恶心、呕吐、发绀、尿急、尿痛、血尿，甚至大小便失禁、休克。

急救方法

判断患者发生了农药中毒，施救者应采取以下方法进行急救：

- 施救者在靠近患者前，应评估现场环境是否安全。如果环境不安全，请远离现场至安全区域，并迅速报警。
- 立即呼叫120，取来AED和急救箱。
- 做好个人防护，戴手套、口罩和护目镜。
- 将患者移至新鲜空气的地方。
- 迅速阻止患者继续吸收毒物。

脱去污染的衣物，用肥皂水彻底清洗污染的皮肤、毛发、指甲。眼部受污染时立即用流动的清水冲洗，时间至少15分钟。

清醒的有机磷农药中毒患者可以反复喝200～400毫升温水后，用手指刺激舌头根部催吐。有条件者可口服吐根糖浆15～30毫升后再喝温水催吐，直至吐出的呕吐物清亮为止。

口服百草枯中毒者在催吐后，可以用蒙脱石散30克溶于20%甘露醇250毫升中分次服用，以及活性炭30克（粉剂）溶于20%甘露醇250毫升中分次服用。如果没有条件，早期现场可给予泥浆水100～200毫升口服。

有机氮中毒患者可口服大量淡盐水或者2%的小苏打水催吐。

- 记录中毒时间、服药量，尽可能明确农药种类。
- 收集药瓶、呕吐物、排泄物等，交给120急救人员。
- 患者无反应、无呼吸时，立即心肺复苏。

急性酒精中毒

短时间内饮用过量酒类饮料后，引起中枢神经系统先兴奋后抑制，患者表现出中毒症状。在此状态下，患者还可能对他人造成危害，如酒后滋事、打架斗殴、酒后驾车肇事等。

中毒表现

兴奋期，表现为颜面潮红或苍白、眼结膜充血、眩晕、语言增多、喜怒无常，此期患者易寻衅滋事。

共济失调期，表现为动作笨拙、步态不稳、语无伦次、发音含糊，此期患者易摔伤。

昏睡期，可出现面色苍白、皮肤湿冷、口唇青紫、呼吸减慢、昏睡或者昏迷、大小便失禁，甚至呼吸中枢抑制而死亡，也可因呕吐物误吸入呼吸道而窒息死亡。

急救方法

判断患者发生了急性酒精中毒，施救者应采取以下方法进行急救：

- 施救者在靠近患者前，应评估现场环境是否安全。
- 做好个人安全防护，在语言交谈中缓慢、正面地接近患者。如果患者有躁动行为，要给予适当的保护性约束。
- 轻度中毒者，可给予含糖饮料口服，采用头低侧卧位卧床休息，并注意保持气道通畅，及时清理口腔、鼻腔内的分泌物和呕吐物。
- 如果患者神志清醒且配合，嘱其弯腰，引导其用手指刺激舌根部催吐。也可以反复多次喝200～400毫升温水后催吐。
- 意识不清者，采用头低侧卧体位休息，注意保持气道通畅，及时清理口腔、鼻腔内的分泌物和呕吐物，防止呕吐物误吸等意外发生。
- 防止患者摔倒，或者因醉酒肇事引发其他伤害。
- 经以上处理不好转，或者重度中毒者，应立即呼叫120。

第九篇 动物咬伤急救

学习目标

了解动物咬伤的一般概念
掌握动物咬伤的急救方法
掌握犬咬伤的急救方法
掌握蛇咬伤的急救方法
掌握蜂蜇伤的急救方法
掌握蜘蛛蜇伤的急救方法
掌握蝎子蜇伤的急救方法
掌握蜈蚣蜇伤的急救方法
掌握海洋生物咬伤或者蜇伤的急救方法

一般概念

动物会利用牙、爪、角、刺等袭击人类，造成咬伤、蜇伤和其他损伤（如过敏、中毒、继发感染、传染病）等。很多时候伤口本身并不严重，咬伤后造成的其他损伤可能更难处理。

常见咬伤或蜇伤人的动物有犬、猫、蛇、蜂、蜈蚣、蚂蟥、蝎子、海蜇等。

动物咬伤后，局部有伤口，造成出血、肿胀、疼痛、感染等。

急救方法

对动物咬伤的患者进行急救时，一般遵循以下顺序和原则：

- 评估现场环境，保证周围环境安全。
- 立即呼叫120，取来AED和急救箱。
- 做好个人防护。
- 请患者停止运动，保持镇定。
- 检查意识、气道、呼吸、循环，进行身体检查找出伤口。
- 用大量的肥皂水或者清水冲洗伤口。
- 给予特效解毒剂或者注射疫苗。

犬咬伤

犬咬伤人时，唾液中的狂犬病毒通过破损的皮肤和黏膜侵入人体，从而使人患狂犬病。人感染狂犬病毒后多数在1～3个月内发病，发病后在3～5天内死亡，病死率几乎100%，是迄今为止人类病死率最高的急性传染病。

表现

典型的狂犬表现为两耳直立、双目直视、眼红、流涎、行为狂躁、步态不稳、见人就咬。有的犬也可能没有这些表现，但是带有狂犬病毒。

人被犬咬伤后，可造成没有出血的轻微抓伤或者擦伤，也可有单处或者多处皮肤咬伤或者抓伤。

狂犬病患者的特殊症状是恐水、怕风。典型患者看见水，听到流水声，喝水或者提及喝水时，都可引起严重的咽、喉肌痉挛。亮光、噪声、触动或者气流也可能引发痉挛，严重发作时出现全身疼痛性抽搐。

急救方法

患者被犬咬伤后，不管犬是不是狂犬，都必须立即进行伤口处理。伤口处理的目的为：一是预防狂犬病的发生，二是预防伤口继发细菌感染，促进伤口愈合和功能恢复。施救者应采取以下方法进行急救：

- 评估现场环境，保证周围环境安全。赶走犬。如果犬还在现场，应立即呼叫110。
- 取来急救箱。
- 做好个人防护，戴手套。
- 伤口流血不多时，不要急于止血，不要包扎。如果被咬伤的是大血管，出血量很大时，必须立即止血，并呼叫120。
- 检查意识、气道、呼吸、循环，进行身体检查找出伤口。
- 用肥皂水（或者其他弱碱性清洗剂）和一定压力的流动清水交替清洗咬伤和抓伤的每处伤口至少15分钟。如条件允许，建议使用狂犬病专业清洗设备和专用清洗剂对伤口内部进行冲洗。
- 用清水或者生理盐水彻底洗净伤口，以避免肥皂液或者其他清洗剂残留。
- 彻底冲洗后用稀碘伏（0.025%～0.05%）、苯扎氯铵（0.005%～0.01%）或者其他具有病毒灭活效力的皮肤黏膜消毒剂涂擦或者消毒伤口内部。
- 清洗、消毒伤口后，疫苗注射至关重要，患者必须去医疗机构或者疾病预防控制机构注射狂犬病疫苗。一般伤者于0（注射当天）、3、7、14、28天各注射狂犬病疫苗一个剂量，共注射五次。严重者需同时注射抗狂犬病血清或者狂犬病免疫球蛋白。
- 撕裂伤、贯通伤、穿刺伤等严重的咬伤伤口，需要在使用狂犬病被动免疫制剂至少两小时后，到医院进行彻底的外科清创术。

注意：

犬咬伤的伤口，只要没有伤及大血管，伤口不需缝合、包扎、涂软膏、用粉剂，以利于排毒。

狂犬病易感动物主要包括犬科、猫科及翼手目动物。禽类、鱼类、昆虫、龟和蛇等动物不感染和传播狂犬病毒。

蛇咬伤

蛇可分为毒蛇和无毒蛇。毒蛇口内有毒腺，通过毒牙向人体注入毒素。不同的蛇有毒成分不同，一种蛇可以含有多种有毒成分，但通常以一种为主。

按照蛇毒对人体的效应，蛇毒可分为四类：神经毒类、血液毒类、细胞毒类和混合毒类。

表 现

毒蛇都有毒牙，伤口上会留有两颗较大呈“..”形状或者四颗呈“：：”形状的大牙印，而无毒蛇咬伤的伤口是一排整齐且深浅一致的牙印（图135）。

神经毒类患者在咬伤后数分钟内即可出现症状，如胸闷、吞咽困难、失声、全身肌肉疼痛、无力，继而呼吸困难，甚至可因呼吸衰竭而死亡。

血液毒类患者可造成伤口出血不止、皮下出血，呕血、咯血、血尿、脑出血。

细胞毒类患者可造成细胞破坏、局部肿胀、皮肤软组织坏死，可深达肌肉和骨膜，导致肢体残疾。

混合毒类患者以上各种情况都可能出现。

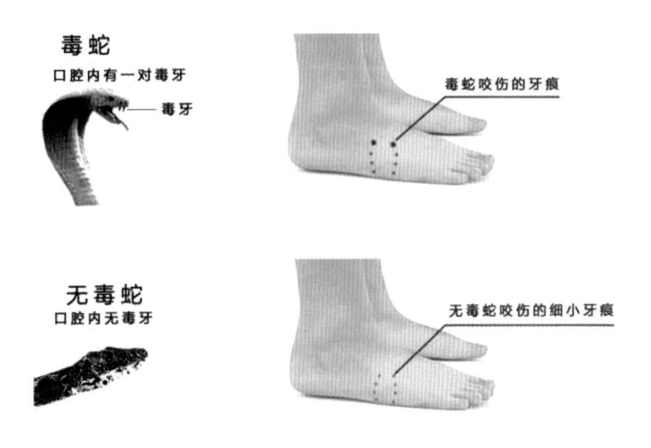

图135 蛇咬伤的牙印

急救方法

如果被蛇咬伤，可以根据伤口颜色和咬痕识别蛇的种类。但如果不能确定，应假定蛇有毒，迅速进行急救。现场急救时应尽量做无伤害性处理，减缓毒液吸收，尽快送医院。

患者被蛇咬伤后，施救者应采取以下方法进行急救：

- 评估现场环境，绕开蛇。如果被蛇咬住不放，可用棍棒或者其他工具促使其离开。如果是在水中被咬，应将患者移送至岸边或者船上。记住蛇的蛇体、头形、颜色等特征，或者拍下蛇的照片。不要去追打蛇，以免二次受伤。
- 立即呼叫120，取来AED和急救箱。

- 做好个人防护。
- 请患者停止运动，保持镇定，不要慌张、激动。
- 检查意识、气道、呼吸、循环，进行身体检查找出伤口。
- 去除受伤部位的各种受限物品，如紧身的衣服和首饰。
- 用肥皂水、清水或者0.05%高锰酸钾溶液冲洗伤口，拔出残留的毒牙。如果蛇毒进入眼睛，要用大量清水冲洗。
- 用弹力绷带加压包扎伤口。
- 用夹板对伤肢进行制动，受伤部位保持在心脏水平以下。
- 可以口服南通蛇药和上海蛇药。南通蛇药首次捣碎口服20片，然后每隔6小时服10片，直到中毒症状解除为止；上海蛇药首次服10片，以后每4～6小时服5片，3～5日为一疗程；也可将蛇药溶化成糊状敷在伤口周围1～2厘米处。
- 可以口服对乙酰氨基酚止痛。
- 陪伴在患者身边，直到120急救人员到达，或者将患者抬送医院进行后续处理。

注意：

除有效的负压吸毒和破坏局部蛇毒的措施外，避免迷信草药，也不要采取其他未经证实或者不安全的急救措施，如切开伤口、用嘴吸毒、上止血带、冰敷、饮酒、热敷、电疗等。

蛇的神经非常丰富，蛇头即使与身体分离，在数十分钟内仍然具有反应能力，可以咬合和喷射毒液，特别是眼镜蛇和五步蛇。所以，即使蛇看上去已经死亡，仍然存在一定的危险，不要轻易去触碰它。

蜂蜇伤

常见的蜂蜇伤为蜜蜂蜇伤和黄蜂蜇伤。蜂的尾部有刺，在刺入人体时可将毒素注入人体，引起局部反应和全身症状。雌蜂刺人后尾刺断留在人体内，在蜜蜂飞离后毒囊仍附着在尾刺上继续向人体注毒。

表现

被蜂蜇伤后，伤处可出现局部疼痛、灼热、红肿、瘙痒。

多次蜇伤后，可出现皮肤坏死、头晕、恶心、腹痛、胸闷、肌肉痉挛、昏迷、休克等。

如果对蜂毒过敏，可出现荨麻疹、窒息等过敏反应。

急救方法

患者被蜂蜇伤后，施救者应采取以下方法进行急救：

- 评估现场环境，保证周围环境安全。
- 取来急救箱。如果患者被大面积蜇伤，或出现严重症状，应立即呼叫120、取来AED。
- 做好个人防护。
- 请患者停止运动，保持镇定，不要慌张、激动。
- 检查意识、气道、呼吸、循环，进行身体检查找出伤口。
- 用身份证等卡片小心刮出尾刺（图136）。不要用力挤压尾刺，以免毒液扩散。
- 如果是蜜蜂蜇伤，用肥皂水冲洗伤口。如果是黄蜂蜇伤，用1%醋酸（乙酸）或者食醋冲洗伤口。
- 用毛巾包裹冰水袋或者速冷冰袋对伤口进行冰敷，时间不超过20分钟。
- 如果肢体受伤且病情严重，可用弹力绷带在伤口近心端5厘米处加压包扎伤口。绷带每隔15分钟放松1分钟，总时间不要超过2小时。
- 如果出现严重过敏反应，可以使用肾上腺素笔。

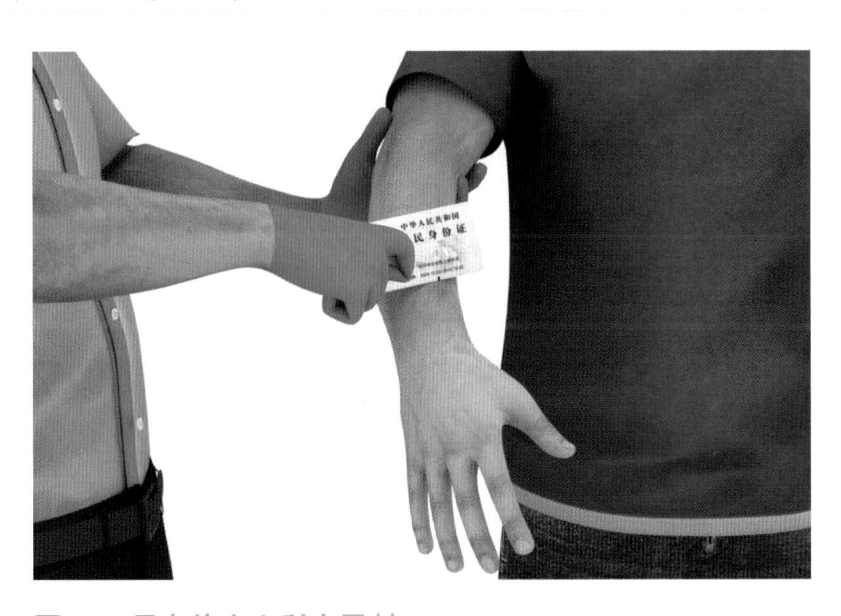

图136 用卡片小心刮出尾刺

蜘蛛蜇伤

蜘蛛的毒牙是头胸部最前面的一对附肢，蜇人时毒液通过毒牙注入人体。蛛毒能引起组织溶解、溶血等效应。我国以黑寡妇蜘蛛毒性最强。

表 现

患者被蜘蛛蜇伤后，局部伤口常有2个小红点，可有疼痛、红肿、水疱、淤斑等症状，全身症状可出现头痛、发热、呕吐、呼吸困难、抽搐、昏迷、休克等。

急救方法

患者被蜘蛛蜇伤后，施救者应采取以下方法进行急救：

- 评估现场环境，保证周围环境安全。
- 取来急救箱。如果患者病情严重，应立即呼叫120、取来AED。
- 做好个人防护。
- 请患者保持镇定，不要慌张、激动和运动。
- 检查意识、气道、呼吸、循环，进行身体检查找出伤口。
- 用肥皂水、5%碳酸氢钠（小苏打）等弱碱性溶液或者清水冲洗伤口。
- 用毛巾包裹冰水袋或者速冷冰袋对伤口进行冰敷，时间不超过20分钟。
- 如果肢体受伤且病情严重，可用绷带在伤口近心端5厘米处加压包扎。绷带每隔15分钟放松1分钟，总时间不要超过2小时。
- 可局部应用或者口服云南蛇药。
- 如果出现严重过敏反应，可以使用肾上腺素笔。

蝎子蜇伤

蝎子后腹细长而呈尾状，最后一节的末端有钩，与毒腺相通，蜇人时毒液通过尾刺注入人体。蝎子毒性强弱不一，弱者只有麻痹作用，强者相当于眼镜蛇蛇毒。

表 现

患者被蝎子蜇伤后，局部伤口有剧痛、红肿、水疱、出血，严重者可出现休克、呼吸困难、抽搐、昏迷，甚至心脏骤停。

急救方法

患者被蝎子蜇伤后，施救者应采取以下方法进行急救：

- 评估现场环境，保证周围环境安全。
- 取来急救箱。如果患者病情严重，应立即呼叫120、取来AED。

- 做好个人防护。
- 请患者保持镇定，不要慌张、激动和运动。
- 检查意识、气道、呼吸、循环，进行身体检查找出伤口。
- 小心拔除蝎子的尾刺，挤压伤口出血以排毒。
- 用肥皂水、5%碳酸氢钠（小苏打）等弱碱性溶液冲洗伤口。
- 如果肢体受伤且病情严重，可用绷带在伤口近心端5厘米处加压包扎。绷带每隔15分钟放松1分钟，总时间不要超过2小时。
- 可局部应用或者口服云南蛇药。

蜈蚣蜇伤

蜈蚣的第2对足为毒钩，蜇人时毒液通过钩尖注入人体。蜈蚣毒液呈酸性，有溶血、致敏等作用。

表 现

患者被蜈蚣蜇伤后，伤口为一对小出血点，局部伤口有刺痛、红肿、瘙痒、出血，严重者可出现水疱、组织坏死、休克、呼吸困难、抽搐、昏迷。

急救方法

患者被蜈蚣蜇伤后，施救者应采取以下方法进行急救：

- 评估现场环境，保证周围环境安全。
- 取来急救箱。如果患者病情严重，应立即呼叫120、取来AED。
- 做好个人防护。
- 请患者保持镇定，不要慌张、激动和运动。
- 检查意识、气道、呼吸、循环，进行身体检查找出伤口。
- 用肥皂水、5%～10%碳酸氢钠等弱碱性溶液冲洗伤口。
- 可以用鲜蒲公英叶或者鱼腥草嚼碎或捣烂后外敷，不要用碘酒或者消毒水。
- 可局部应用或者口服云南蛇药。
- 如果出现严重过敏反应，可以使用肾上腺素笔。

海洋生物咬伤或蜇伤

海洋生物也带有毒素，它们通过棘刺（如海胆、刺鳐、鲶鱼）和刺细胞（海蜇、海葵、珊瑚）对人体造成伤害，并注入毒素。

表 现

海洋生物咬伤或者蜇伤人后，患者表现不一。有些毒素毒性较弱，只是伤口局部疼痛、发红、肿胀或者出血，有些毒素可使人发生严重的过敏反应，致人死亡。

急救方法

患者被海洋生物咬伤或者蜇伤后，施救者应采取以下方法进行急救：

- 评估现场环境，保证周围环境安全。
- 将患者救离水中，擦干身体。
- 取来急救箱。如果患者病情严重，应立即呼叫120、取来AED。
- 做好个人防护。
- 请患者保持镇定，不要慌张、激动和运动。
- 检查意识、气道、呼吸、循环，进行身体检查找出伤口。
- 如果是棘刺造成的伤害，可小心地用夹子去除棘刺。很多棘刺的毒素可以通过高温灭活，所以可用患者能耐受的最热的水淋浴或者浸泡受伤部位至少20分钟。
- 如果是刺细胞蜇伤，用海水冲洗伤口去掉触须，不要用淡水，因为淡水会刺激更多的刺细胞释放毒素。如果是海蜇，用5%～10%碳酸氢钠溶液（或饱和明矾溶液）冲洗患处，后用碳酸氢钠溶液湿敷，每次30分钟以上，可以使刺细胞失活。不要使用酒精。用毛巾包裹冰水袋或者速冷冰袋对伤口进行冰敷缓解疼痛，时间不超过20分钟。
- 如果出现严重过敏反应，可以使用肾上腺素笔。

第十篇 环境因素损伤急救

学习目标

阅读完本篇后，我们应该：

掌握中暑的急救方法

掌握冻伤的急救方法

掌握急性高原病的急救方法

掌握电击伤的急救方法

掌握淹溺的急救方法

中暑

人在高温、高湿、强热辐射的环境下，没有采取正确的防护措施，导致产热过多、散热障碍，引起正常生理功能紊乱，可导致一系列的急症，出现热痉挛、热衰竭和热射病，严重时危及生命，称为中暑。

老人、婴儿、儿童、精神疾病患者及慢性病患者最容易中暑。在高温环境下从事重体力劳动或剧烈的体育运动，即使是健康的年轻人，也容易中暑。

热痉挛

剧烈活动后大量出汗，水和盐分大量丢失，只补充了水，补盐不足，表现出头痛、头晕和疼痛性肌肉痉挛。肌肉痉挛最常发生于小腿、手臂和腹部，常呈对称性和阵发性，时而发作，时而缓解。患者意识清醒，体温一般正常。

急救方法

患者出现热痉挛的症状，施救者应采取以下方法进行急救：

- 评估现场环境，保证周围环境安全。
- 取来急救箱。
- 做好个人防护。
- 停止一切活动，静坐在凉爽的地方休息。
- 给予患者饮用凉的含糖和电解质的饮料，如淡盐水、运动饮料、糖水、果汁。
- 陪伴在患者身边，如果患者经处理后症状不缓解，应呼叫120，送医院诊疗。

热衰竭

热衰竭是由高温暴露，体液补给不足或身体水、盐、矿物质不平衡等原因引起，多见于老年人、儿童和慢性病患者，在高温环境中进行重体力劳动或长跑等剧烈体育运动的年轻人也容易发生。表现为大汗淋漓、疲乏、无力、头晕、头痛、恶心、呕吐、肌肉痉挛、心跳加快和晕厥。体温升高不超过40℃。

急救方法

患者出现热衰竭的症状，施救者应采取以下方法进行急救：

- 评估现场环境，保证周围环境安全。
- 立即呼叫120，取来AED和急救箱。
- 做好个人防护。
- 停止一切活动，移至阴凉、通风的地方休息，如空调房。
- 采取快速降温措施，如脱掉患者衣服、洗凉水澡或喷洒凉水，在额头、颈部、腋窝和腹股沟处放置湿冷的毛巾。
- 如果患者有反应，并且能喝水，给予患者凉的含糖和电解质的饮料，如淡盐水、运动饮料、糖水和果汁。
- 监测患者体温，陪伴在患者身边，直到120急救人员到达。

热射病

当病情继续发展，高温导致体温调节中枢功能障碍，身体无法调节自身的体温时，体温可达到40℃以上，发生热射病。表现为高热，大量出汗（劳力性热射病，多见于剧烈运动或体力劳动后的年轻人）或无汗（非劳力性热射病，多见于老年人、精神病患者），意识障碍，烦躁不安，昏迷，抽搐，休克，甚至心脏骤停。

急救方法

患者出现热射病的症状，要采取快速降温措施，每一分钟都很宝贵，必须在30分钟内将直肠温度降至40℃以下。如果降温速度缓慢，病死率明显增加。

施救者应迅速采取以下方法进行急救：

- 评估现场环境，保证周围环境安全。
- 立即呼叫120，取来AED和急救箱。
- 做好个人防护。
- 迅速将患者移至通风良好的低温环境，脱去其衣服，并进行皮肤肌肉按摩，促进散热。
- 把患者浸在冷水（1.7～14℃）或者冰水中，水可淹没至颈部，并且不停地搅动水，以保持皮肤表面有冰水，在头顶部周围放置用湿毛巾包裹的冰块。
- 如果没有浸浴条件，可以用15℃的冷水喷淋或者反复擦拭皮肤，并不断扇风。

- 监测体温变化，持续降温直至体温降至38℃。
- 陪伴在患者身边，直到120急救人员到达。
- 如果患者无反应、无呼吸或仅有濒死叹息样呼吸，立即给予心肺复苏。

注意：

患者出现热射病时，不要给患者喝水。

对于高温引起的中暑，藿香正气水和藿香正气口服液均没有帮助，既不能预防也不能治疗。藿香正气水中的酒精成分还有可能加重脱水程度，加强中暑的易感性。

冻 伤

低温作用于人体局部或者全身，可造成身体损伤。常见的损伤部位是暴露在外的身体部位，如手指、脚趾、面颊、鼻子和耳朵。

表 现

轻微冻伤时，皮肤柔软、苍白或者发红，疼痛或者感觉迟钝。

浅度冻伤时，皮肤柔软似面团、苍白、麻木、冰凉。

深度冻伤时，皮肤变硬、苍白或者发青，没有感觉，水肿，出现水疱或者坏死。

如果是全身冻僵，会出现健忘，失去痛觉，意识消失，呼吸变得浅而慢，心率减慢，甚至发生室颤。

急救方法

患者出现冻伤的症状，施救者应采取以下方法进行急救：

- 评估现场环境，保证周围环境安全。
- 立即呼叫120，取来AED和急救箱。
- 做好个人防护。
- 脱离寒冷环境，检查意识、气道、呼吸、循环。
- 小心地脱掉湿冷衣服，擦干患者身体，取下限制身体的首饰，如戒指、手镯。
- 采用恰当的方法快速对冻伤处进行复温。
- 复温后局部可以涂冻伤外用的药膏，并以无菌敷料包扎，每日换药1～2次。
- 水疱可以在无菌的条件下抽出水疱液。如果水疱较大或者化脓，可于低位划“V”字切口，切开引流。

复温方法

施救者应根据冻伤部位、严重程度和现场条件，选用合适的方法对冻伤部位进行快速复温。

- 轻微冻伤，可用温水或者衣物、棉被包裹保暖，使身体复温。
- 肢体冻伤，可以将冻肢浸泡在40～42℃的温水中复温。
- 颜面部的冻伤可以用40～42℃的温水浸湿毛巾热敷。
- 严重的冻伤可以用气热毯、热水袋、电热宝复温。复温时，要把热水袋、电热宝等复温热源放在胸部，但要避免温度过高导致烫伤。
- 严重的冻伤也可将患者浸入温水中复温。水温从34～35℃开始，5～10分钟后提高水温至40～42℃。待患者体温正常，有了规则的呼吸和心跳时，停止加温。

注意：

不能火烤、冷水浸泡或者揉搓、猛力捶打冻伤部位。

如果在到医院前，患者身体有可能再次冻伤，则不应对伤处进行复温。

急性高原病

高原空气稀薄，大气压、氧分压均低。低海拔地区的人在较短时间内进入海拔3000米以上的高原时，由于对缺氧环境不能适应，可发生急性高原病。

表 现

患者急性缺氧，轻者出现头痛、头晕、乏力、恶心、睡眠障碍等。严重者出现剧烈头痛、咳嗽、咯粉红色泡沫痰、呼吸困难、频繁呕吐、烦躁或者嗜睡，甚至死亡。

急救方法

患者发生急性高原病的症状，施救者应采取以下方法进行急救：

- 评估现场环境，保证周围环境安全。
- 立即呼叫120，取来AED和急救箱。
- 做好个人防护。
- 检查患者意识、气道、呼吸、循环。

- 要求患者停止继续上行，应卧床休息，补充液体，注意保暖。
- 给予轻症患者鼻管间断低流量吸氧，流量为每分钟1～2升。给予咳嗽、咯粉红色泡沫痰、呼吸困难等重症患者面罩高流量吸氧，每分钟6～12升。有条件者采用便携式高压气囊治疗。
- 安慰患者，缓解其精神紧张。对头疼严重者，可给予布洛芬等对症处理。
- 症状不缓解甚至恶化者，应异地治疗，转运患者下行，降低海拔至少300米。

电击伤

电器漏电、闪电都可造成电击伤。

表 现

电器致伤，电流在皮肤出入口处会造成皮肤损伤，入口处灼伤程度比出口处重。电流进入人体最常见的入口点是手，其次是头，最常见的出口点是脚。灼伤皮肤呈灰黄色焦皮，中心部位低陷，周围无肿、痛等炎症反应。

闪电放电时间短，大部分的电流通过皮肤表面进入地面，皮肤血管收缩表现出网状图案，这是闪电损伤的特征。

电击伤还会造成四肢关节脱位、骨折，失明，耳聋，肠穿孔，失忆和呼吸、心跳停止。

急救方法

发现患者被电击伤，施救者应采取以下方法进行急救：

- 评估现场环境，保证周围环境安全。

  仔细观察患者周围是否有脱落的电线，患者是否与电器仍在接触当中。必须切断受害者与电源之间的接触，最好的办法是切断电源（如打开断路器或者关闭电闸，或者中断电器与电源插座的联系）；或者用干燥的绝缘材料（如木棒、布、皮带等）将电线挑开。

  如果是闪电伤，雷暴还在持续，现场可能很危险，特别是接近山顶、悬崖等高处。
- 立即呼叫120，取来AED和急救箱。如果在户外，应通知电力局相关部门断电。
- 检查意识、气道、呼吸和循环。
- 松解患者衣领、腰带，清除口腔中的异物、取下假牙以保持呼吸道通畅。
- 电灼伤的伤口或者创面要用干净的敷料包扎。
- 幼儿的口唇损伤要请口腔科医生处理。
- 及时处理出血和骨折。
- 如果无反应、无呼吸或仅有濒死叹息样呼吸，立即进行心肺复苏。

注意：

因为迟发性“假死”可发生在电击伤10天之内，所以即使是轻度电击伤，也要绝对卧床休息10天，住院观察。

高压电电线漏电，如无专业保护措施或专业人员未到达现场前，施救者不要靠近漏电现场，以避免因跨步电压触电。

躲避闪电的方法

雷暴天气时，要做好以下预防措施：

- 不要接近一切电力设施，如高压电线、变压器等。
- 不在建筑物的楼面、屋顶、山顶停留，不要接触金属设备如铁栏杆、铁门、防盗网等，不在水面、高空和旷野活动。
- 不要在孤立的大树下避雨，不要进入空旷处的临时性棚屋、岗亭等无防雷措施的低矮建筑物。
- 关好门窗，防止雷电直击室内。不要冲凉洗澡。
- 不要开电视机、电脑等电器，拔掉一切电源插头。
- 不要呼叫、接听电话，关闭手机，因为电话线和手机的电磁波会引入雷电。
- 外出时，要穿绝缘的胶鞋、雨衣，不要打有金属柄的雨伞。
- 在野外遇到雷暴天气时，应选择在地势较低的位置下蹲，双脚并拢，双手抱膝，以减少跨步电压带来的危害。如果坐在海绵垫或者背包上更好。
- 在汽车里躲避雷电是相对安全的。

淹 溺

人体淹没于液体介质而导致呼吸障碍的过程，称为淹溺。呼吸道被液体堵塞或者喉痉挛会引起窒息，导致缺氧。

欧洲复苏委员会提出了淹溺生存链的概念，包括以下五个环节（图137）。

预防淹溺的发生。

识别患者发生了淹溺。

给患者提供漂浮物。

将患者救起，脱离水面。

现场急救。

图137 淹溺生存链

表 现

人体因缺氧而发生呛咳、头痛、抽搐，进而意识不清、昏迷和心跳、呼吸停止。

当人发生溺水时，可能会大声喊叫，也可能很安静。当发现某人头部在水中浮沉，四肢在不协调、不规律地划动时，应怀疑其发生了溺水（图138）。

图138 溺水时表现

急救方法

发现溺水者，施救者应采取以下方法进行急救：

- 评估现场环境，保证周围环境安全。
- 大声呼救，叫周围更多的人来帮忙，呼叫119、120、110。
- 采用合适的方法将溺水者救上岸。
  通过向溺水者投递竹竿、衣物、绳索、漂浮物等施救。
  专业急救人员应从其后面靠近溺水者，双手从后面托住其头部，采用仰泳姿势游到岸边（图139）。

- 在漂浮救援设施的支持下，专业救生人员可为呼吸停止的溺水者实施水中通气。在水中不做胸外按压。
- 救上岸后，将患者放置于平卧位。在不影响心肺复苏的前提下，尽可能除去湿衣服，擦干身体，防止患者出现低体温。
- 检查意识、气道、呼吸、循环，如果没有意识和呼吸，立即开始心肺复苏。
- 如果没有意识，有自主有效呼吸，要除去湿衣服，擦干身体，将患者置于侧卧位，面部朝下，以免发生窒息。注意保暖。
- 如果患者出现呕吐，应立即将其翻至一侧，用手指等清除呕吐物。
- 如果患者有意识和呼吸，应除去湿衣服，擦干身体，注意保暖，送医院诊疗。

图139 正确的救人姿势

图140 不要控水，以免延误进行心肺复苏

注意：

非专业急救人员不要下水救援（特别是急流、暗流或者施救者不熟悉的区域），也不要多人手拉手下水救援。

不应为患者实施各种控水措施，包括倒置躯体或者海姆立克急救法（图140）。

心肺复苏

由于淹溺患者的核心原因是缺氧，所以尽早开放气道和人工呼吸优先于胸外按压。对溺水者实施心肺复苏，流程如下：

- 立即开放气道，清理口鼻内的泥沙、水草。
- 用5～10秒观察胸腹部是否有呼吸起伏，如没有呼吸或者仅有濒死叹息样呼吸应尽快给予2～5次人工通气，每次吹气持续1秒，看到患者胸廓隆起。
- 如果淹溺者对初次通气无反应，立即开始胸外按压。
- 此后每进行30次胸外按压，人工呼吸2次。
- 如果取得AED，应尽快使用。

第十一篇 灾害逃生与急救

学习目标

阅读完本篇后，我们应该：

了解灾害的一般概念

掌握火灾的逃生方法

掌握海啸的逃生方法

掌握泥石流的逃生方法

掌握台风的逃生方法

掌握地震的逃生方法

掌握爆炸事件的逃生方法

掌握踩踏事件的逃生方法

一般概念

灾害是指人为或者自然因素造成人员伤亡和财物损失的事件，可分为人为灾害（战争、空难、火灾、交通事故等）和自然灾害（地震、风灾、洪灾、海啸、泥石流等）。

灾害的自救互救

人们在灾害来临时，第一时间应采取正确的方式避险逃生。

在灾害发生后，轻伤患者应采取以下措施，积极开展自救互救：

- 评估周围环境是否安全。如果所处环境不安全，有建筑物倒塌、火灾、电线断裂、煤气泄漏等明显的危险，应采取措施去除不安全的因素或者迅速转移至安全地带。同时，要防止发生次生灾害，考虑是否存在有毒物质泄漏以及浓烟带来的危害。
- 互相扶持，在应急指挥人员的指挥下有序疏散。不要围观，给救援人员创造良好的交通和救援现场条件，也能避免被次生灾害损伤。
- 采取正确的施救方法，处理灾害中所受的创伤。
- 如果伤情允许，可以自行前往医院。尽量把有限的医疗资源留给重症患者。
- 如果困在灾害地区，甚至被埋压，一定要坚信有人前来救援。尽可能将身上的坍塌物清除，防止窒息，打电话向外求救。设法寻找药物、水和食物，保存体力，不要强行用力推拉坍塌物。如不能自行脱险，需保持镇静，等待救援人员，要是身边有金属类敲得响的东西，应该时不时敲打一下，弄出声响，便于救援人员及早发现。

灾害的专业救援措施

在灾害救援中，一个人的力量是单薄的，往往需要专业团队救治。为了更好地配合应急救援人员，需要了解现场救援的专业理论与科学救治原则。

灾害救援的黄金时间

灾害发生后，救援人员通常在24小时内展开灾害救助工作，主要是以工程人员为核心，搜寻失踪人员，救援受困人员。另外，以医护人员为核心，现场救护或者转运患者。若72小时后才获得救援，则重伤患者生存概率会小很多。

评估周围环境

灾害发生后，环境会变得很复杂，现场安全评估可能很困难。当灾害发生的原因不能马上确定，或者怀疑存在异常情况，救援者应采取预防措施来尽可能降低这种不确定的威胁。一旦环境不安全，应主动撤离。

有序疏散

灾害发生后，应急指挥人员应该主动引导、有序疏散现场受灾人员，给后继救援人员创造良好的交通和救援现场条件，同时也能避免受灾人员被次生灾害损伤。

分类救治

灾害发生时，可能会造成群体性伤亡事件。此时开展现场急救的目标就是尽最大可能救治尽可能多的患者。为此，急救人员到达现场时，首先将依据患者的伤情对患者进行检伤分类，分颜色填写伤票。在救护区的位置，也采用不同颜色的地毯或者竖立旗帜来进行标识以区分，以便于准确救治与转运。

常用的颜色如下：

红色代表优先救治区。该区的患者为危重伤，有生命危险，如气道异物梗阻、活动性大出血及休克、严重颅脑损伤、胸腹联合伤、超过50%的Ⅱ度和Ⅲ度烧伤等。立即治疗能够获救，所以要立即进行紧急救治和转运。

黄色代表延迟救治区。该区的患者为中重伤，暂时没有生命危险，允许暂缓救治，如不伴有休克症状的头、胸、腹部受伤，不伴意识障碍的头部外伤、闭合性骨折。

绿色代表等待救治区。该区的患者为轻伤，暂时不需要手术，经过简单治疗可以离开，或者可以等待医疗资源充足时再进行治疗，如皮肤擦伤、扭伤等。

黑色代表死亡区。该区的患者已死亡或者有无法救治的致命损伤。如头、颈、胸、腹部严重损伤，无法实施心肺复苏者。黑色区域单独划分。

检伤分类

检伤分类是指通过一种快速的、准确率高的方法，快速判断伤情，把现场的患者送到合适的区域进行救治。因为患者的伤情是不断变化的，所以重复进行检伤分类也十分重要。

大规模群伤事件中，初次检伤应尽可能快，检查一名患者的时间在10秒钟左右，不要超过30秒钟。

下面介绍一种快速的检伤分类法（图141）：

第一步：行动检查

行动自如的患者为轻症患者。

施救者大声表明身份，引导所有能行动自如的患者到绿色区域。

第二步：呼吸检查

对全部不能行走的患者进行呼吸检查。

如果成人没有呼吸，先开放气道进行观察，如果仍然没有呼吸，标为黑色患者。如果是儿童和婴儿没有呼吸，先开放气道后进行2次人工呼吸，如果有呼吸，标为红色患者。如果仍然没有呼吸，也标为黑色患者。

如果有呼吸，但呼吸频率超出正常值，如成人呼吸每分钟超过30次，标为红色患者。如果呼吸正常，进行循环检查。

第三步：循环检查

对呼吸良好的患者进行血液循环检查。

检查桡动脉搏动、压迫指甲甲床或者观察皮肤颜色、湿度、温度。

如果有循环不良的表现，如脉搏每分钟超过120次，或者压迫指甲甲床2秒钟内不能恢复红润，或者皮肤苍白、湿冷，标为红色患者。

如果有活动性大出血，应立即止血。

第四步：意识检查

对循环良好的患者进行意识检查。

检查患者头部是否受伤。

询问患者简单问题或者给予简单指令，如你叫什么名字，你怎么受伤的，抬起左手等，看患者能否正确回答或者按照指令行动。

能回答或者按照指令行动，患者只有轻伤，能自理，标为绿色患者。

能回答或者按照指令行动，但是患者有多处外伤或者较重的外伤，不能自理，需要施救人员救治，标为黄色患者。

不能回答或者不可以按照指令行动，标为红色患者。

检伤分类法流程图

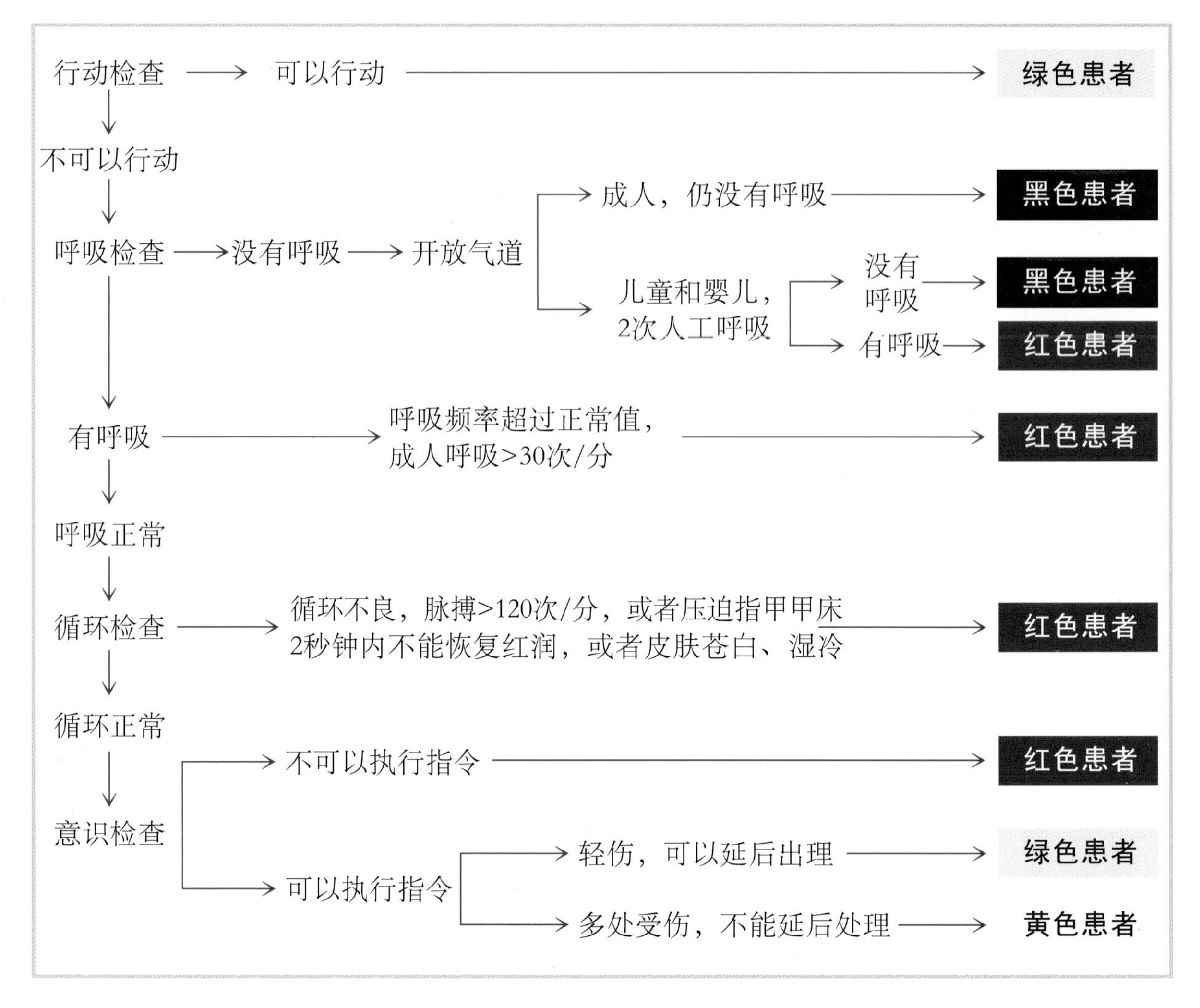

图141 检伤分类法

火灾

一般概念

火是物质燃烧过程所产生的现象，必须有可燃物、燃点温度、氧化剂三个条件才能点火。着火失去控制而造成的生命财产损失等灾难性事件，被称为火灾。

火灾初起时火焰不高，燃烧释放出来的辐射热能较低，是扑救火灾最有利的时机。

火灾危害

火灾可能会给人们带来以下危害：

- 皮肤等被火焰烧伤。
- 吸入高温空气，高温与浓烟中的有毒物质会使气管和支气管内黏膜充血、肿胀、组织坏死，产生窒息。
- 火灾中的热烟尘进入眼睛，会刺激人流泪，损伤视觉；进入鼻腔和咽喉部，人会打喷嚏和咳嗽；进入气管和支气管，会引起气道痉挛而窒息，使人倒地不起。
- 火灾中可燃物燃烧产生大量的有毒烟雾，对人体有麻醉、窒息、刺激等作用，会损害呼吸系统、中枢神经系统和血液循环系统。
- 火灾中建筑物的结构被破坏，发生脆弱化，墙壁、屋顶崩塌而使人受伤。
- 火灾发生时，人们因相互拥挤、推搡、踩踏而受伤。或者从高楼跳下，摔伤甚至摔死。

火场逃生

发生火灾后，应迅速反应，分秒必争，选择合适的逃生方法。

报警

保持冷静，立即呼叫火警电话119报警，同时按响建筑物内的红色火灾警铃，通知消防控制中心。

灭火

根据现场火势，以最快速度评估是灭火还是逃生。如果是初起火灾，应迅速灭火。

方法如下：

- 正确使用灭火器灭火（图142）。拔去保险栓，将灭火器提到距火源两米的上风处，让喷嘴对准火焰根部，一只手提喷嘴，另一只手压下压把，侧身作业，喷出灭火剂灭火。
- 家用电器起火，要立即切断电源，再用干粉、水基型或者气体灭火器灭火。不要泼水灭火，以防触电或者电器爆炸伤人。
- 厨房油锅起火，应迅速关闭炉灶燃气阀门，立即盖上锅盖灭火。不能用水灭火，因为冷水遇热油会汽化，使火势蔓延。

- 车头自燃着火，使用车载灭火器，小心打开车盖一条小缝，伸入灭火器喷头灭火。小心烫伤！车盖不要开太大，否则会形成空气对流，火势将会加大。
- 衣服着火，应将着火的外衣迅速脱下来。如果不能脱衣服，身前起火，应迅速趴在地上；背后衣服着火时，应躺在地上；衣服前后都着火时，则应在地上来回滚动灭火。

图142 灭火器使用方法及口诀：一拔栓子、二提管子、三压把子

撤离

如果火势很大，应当放弃灭火，第一时间从完全背离烟火的方向逃生。逃生时，尽量选择安全通道逃生。

- 如果是室外着火，应谨慎开门。先用手背接触房门，如果门已经很烫，则不能打开，否则会造成空气对流，烟和火会冲进房间。如果门不烫，火势可能不大或者还没有烧到，可以撤离。离开房间以后，要随手关门，警惕开门放入空气而增加火势。
- 选择完全背离烟火方向的有逃生标志的安全通道撤离。这种通道比较通畅、快捷，障碍物少，门也不会上锁，而且消防人员来救人时，也会优先选择这条通道施救。
- 如果着火区域较小，可以冲过去。应该用湿毛巾蒙严口鼻，俯身行走或者伏地爬行，减少有毒烟危害（图143）。使用湿毛巾的主要作用是降低吸入空气的温度，湿毛巾的厚度和湿度以不影响呼吸为宜。也可以配戴过滤式防毒面具、头盔、阻燃隔热服等护具，或者用湿浴巾、湿棉被、湿毯子等裹好身体，再冲出去。
- 因地制宜，利用自制救援绳索逃生。将绳索一端系于窗户横框或者结实的桌椅、床脚上，另一端系于两腋和腹部，从窗户或者阳台放至地面或者没有起火的楼层。绳索要足够结实，要足够长，同时要避免绳索着火。
- 跳楼逃生限于3楼及以下。被迫跳楼时，应先扔下棉被等物作衬垫。然后爬出窗外，手扶窗台，身体自然下垂，尽量缩短与地面的距离，跳在衬垫上。落地时双手应抱紧头部，蜷缩身体，以减少损伤。
- 撤到安全地点后，采用合适技术处理烧烫伤及其他创伤。

图143 掩住口鼻爬行逃生

等待救援

如果火势太大，逃生通道被浓烟等阻断，应当关门、开窗，寻找安全地点，采用各种求救方法，向救火人员寻求帮助。

- 室外着火，门已很烫，不能逃生时，应关紧迎火面的所有门窗，用湿毛巾、湿布、棉被等塞堵门缝或者窗缝，防止烟雾侵入。如非必要，不要打开远离火源的门窗。
- 应想方设法逃生至低楼层阳台、窗口等易被人发现的地方。
- 白天挥舞红色等醒目的衣物，晚上使用手电筒等向楼外发出求救信号。

注意：

逃生时，禁止坐电梯，也不要因为贪拿财物而贻误逃生时机。

海啸

一般概念

因地震、火山爆发或者水下地质塌陷和滑坡等大地间的垂直活动，引起海水剧烈的起伏，形成强大的波浪，向前推进，淹没沿海地带的灾害，称为海啸。通常由震源在海底下50千米以内、里氏震级6.5级以上的海底地震引起。

海啸形成原因和石头掉入水中形成水波的原理是一样的，大面积水体的突然抬升或者下沉，形成的震荡波在海面上形成不断扩大的圆圈，传播到很远的地方，水越浅，波浪越大（图144）。因此，海啸不会在深海造成灾害，正在外海航行的船只甚至不会感受到这种波动。而当海啸波进入大陆架后，由于深度变浅，波高突然增大，这种波浪运动所卷起的海浪，掀起高度可达数十米的水墙。

海浪越过海岸线，袭击岸边的城市和村庄，将破坏一切建筑设施，对生命财产造成巨大损失。

图144 巨石入水，波浪传播

表 现 

海啸发生时，可能有以下表现：

- 附近水域发生地震，感觉到地面有较强的震动。
- 潮汐突然反常涨落。
- 海水往往明显升高或者降低。
- 海中有巨浪袭来，并且有大量的水泡冒出。
- 海水突然异常退去，有鱼、虾等海洋动物留在浅滩。

海啸逃生

海啸有时会在地震发生几小时后到达距离震源上千公里远的地方。因此从地震的发生到海啸的到达有一定的时间差，人们要利用好这个时间差逃生。

- 在海边游玩时，应以最快的速度撤离岸边，向内陆高处转移。
- 在外海的船只应向深海区行驶，深海区相对于海岸更为安全。
- 停在海港里的船只上的所有人都要撤离。
- 接到海啸警报后，海岸边的居民要立即切断电源、关闭燃气，立即向坚固结实的高楼、高山等处逃生，不要因顾及财产损失而丧失逃生时间。
- 撤到安全地点后，采用合适技术处理创伤。

泥石流

一般概念

泥石流是一种发生在山区或者沟谷深壑，因为暴雨、暴雪或者其他自然灾害引发的携带有大量泥沙以及石块的特殊洪流。其中，70%的泥石流是因为暴雨引发。

泥石流常常暴发突然、来势凶猛，常伴随发生山体崩塌、滑坡和山洪，其危害程度比单一的山体崩塌、滑坡和山洪更为严重，影响范围广。

表 现

在可能发生泥石流的区域，出现以下现象，要警惕发生了泥石流。

- 河流突然断流或者水势突然加大。
- 洪水中夹有较多柴草、树木。
- 深谷或者沟内传来类似火车的轰鸣声或者闷雷般的声音。
- 沟谷深处突然变得昏暗，还有轻微震动感。

泥石流逃生

山洪、泥石流预警时间很短，往往只有几分钟到十几分钟，因此，需快速撤离。

- 不要沿泥石流向下游跑，应当与泥石流行进方向成垂直方向，选择最短、最安全的路径，向滚石两侧山坡或者高地跑，爬得越高越好，跑得越快越好。
- 要避开河道弯曲的凹岸或者地方狭小、高度又低的凸岸，在泥石流经过时，这些地方可被冲垮或者填塞。
- 不要停留在坡度大、土层厚的凹处，这些地方很容易被泥石流影响而塌方。
- 不要躲进汽车或者房子里，也不要爬上树躲避，因为泥石流能量巨大，可以把汽车、房子掩埋，把大树冲倒卷走。
- 陷进泥石流，别呼救，大量泥沙会堵住你的嘴，应该抱住大的漂浮物体别撒手，再向岸边移动。
- 撤到安全地点后，采用合适技术处理创伤。

台风

一般概念

台风，在卫星云图上呈现出一个气旋，是一种发生在热带或者副热带洋面上急速旋转的低压涡旋。涡旋由海面上的空气与水汽组成，水汽中的潜热驱动它旋转与移动。涡旋所到之处，带来狂风、暴雨和风暴潮。风力为12级或者以上的，才称为台风。

强风会吹倒建筑物和高空物品，暴雨会引发洪水、山体滑坡、泥石流等地质灾害，风暴潮会冲毁海塘堤防、涵闸、码头、护岸等设施，造成人员伤亡。近年来，我国亦有多起台风暴雨导致公共带电设施漏电引发路人触电的相关报道。

预防措施

目前，台风是可以准确预报的，气象台会根据气旋底部中心附近的风力大小发出预报，从蓝色、黄色、橙色、到红色，风力越来越大，因此，在台风来临前，应做好各项防风准备。

- 把围板、棚架、户外广告牌、临时搭建物等易被风吹动的搭建物加固捆紧，及时搬移屋顶、窗口、阳台处的花盆、悬吊物等，检查门窗、室外空调、太阳能热水器的安全，并及时进行加固。
- 准备好手电筒、收音机、充电宝、食物、饮用水及常用药品等。
- 检查电路，注意炉火、煤气，防范火灾。
- 船舶应到避风场所避风。高空、滩涂、水上等户外作业人员应停止作业。危旧房屋或者低洼危险地带工作人员应及时撤离。露天集体活动应及时停止。

台风逃生

台风期间，所处环境不同，逃生方法也不相同。

在家中

- 台风期间，应尽量待在家中，减少外出。
- 在家中时，应远离窗户，以免被强风吹破的窗户玻璃碎片弄伤。最好在窗户玻璃上用胶布贴成米字图形，以防窗户玻璃破碎。还要防止闪电击伤，要拔掉电源插头。
- 采用合适技术处理创伤。

步行外出时

台风来临，在街边行走时，应注意尽快躲进坚固的建筑物里。

- 弯腰降低重心，将身体紧缩成一团，穿上轻便防水的鞋子和颜色鲜艳、紧身合体的衣裤，把衣服扣好或者用带子扎紧，穿好雨衣，戴好雨帽，系紧帽带，或者戴上头盔。
- 一步一步地慢慢走稳，不能顺风跑。
- 尽可能抓住或者紧靠墙角、栅栏、柱子或者其他稳固的固定物行走。
- 在建筑物密集的街道行走时，要特别注意躲避高空坠物，以免砸伤。
- 不要在广告牌和高大的树下逗留，因为树和广告牌不仅可能会被刮断，闪电时还会导电。
- 走到拐弯处，要停下来观察一下再走，以免被刮起的飞来物击伤。

注意：

外出时，要留意路边的公共带电设施是否有损坏，应避免触电。

地 震

一般概念

地震是一种自然现象。由于地球不断运动和变化，地壳的不同部位受到挤压、拉伸、旋扭等力的作用，逐渐积累了能量，在某些脆弱部位，岩层容易突然破裂，引起断裂、错动，于是就造成地面的震动（摇动、移动）称为地震。

几个名词

地球内部岩层破裂引起振动的地方，地震震动的发源处称为震源。

震源在地面上的垂直投影，地面上离震源最近的一点称为震中，它是接受振动最早的部位。

震中到震源的深度叫震源深度。通常将震源深度小于70千米的叫浅源地震。破坏性地震一般是浅源地震。

某地与震中的距离叫震中距。距离震中越近，破坏越严重。

地震波

地震所引起的地面振动是一种复杂的运动，它是由纵波和横波共同作用的结果。

在震中区，纵波使地面上下颠动，横波使地面水平晃动。

纵波传播速度较快，衰减也较快，横波传播速度较慢，衰减也较慢，因此地震首先感受到上下跳动，然后是左右晃动。而在离震中较远的地方，往往感觉不到上下跳动，但能感到水平晃动。

主震与余震

当某地发生一个较大的地震时，在一段时间内，往往会发生一系列的地震，其中最大的一个地震叫主震，主震之前发生的地震叫前震，主震之后发生的地震叫余震。

地震灾害

地震灾害是指由地震波引起的强烈地面振动，产生地面裂缝和变形，使各类建筑物倒塌和设施损坏，交通、通信中断和其他生命线工程设施等被破坏，以及由此引起的火灾、煤气泄漏与爆炸、瘟疫、有毒物质泄漏、放射性物质污染、建筑破坏等造成人畜伤亡和财产损失的灾害。

地震对人体的伤害

地震引起人体的损伤及死亡的重要原因有塌方、煤气泄漏、触电、淹溺和火灾。其中最多的致伤原因是塌方，患者被建筑物砸伤、砸死，甚至掩埋或者围困在土石、瓦砾之中，因窒息、饥饿、缺水而死亡。

在地震对人体造成的损伤中，骨折、软组织损伤、挤压综合征占前三位。死亡原因中以颅脑损伤最高，另外饥饿、缺水、休克、外伤感染也是致死的主要原因。

大地震表现

大地震发生前，往往有地声、地光和地面微动，先于强震前10秒钟左右出现于地表，作为大震即将来临的预警信号，为人们提供了最后一次自救机会。

地声出现在震前10分钟内，到临震十几秒时声响最大。地声首先是“呼呼”声，接着是“轰轰”声，继而为“咚咚”闷雷声，之后地面开始振动。

地光是地壳内喷溢出的气体，强化了低空静电场所致，有带状、片状、球状、柱状等形状，颜色以蓝、黄、白色居多。

震时避震方法

地震从被感知到造成破坏的时间平均只有12秒钟。

收到地震预警信号之后，人们应该因时因地采取应急措施，消除一切可能危及生命的不安全因素。

由于震时建筑物的抗震能力，人员所处位置、体能，室外环境，等不同，应该因地制宜采用不同的方法避险。

震时就近躲避，震后迅速撤离到安全地方，是应急避震较好的办法。

- 躲震时身体应采取这样的姿势：侧卧躺下、趴下、蹲下或者坐下，尽量蜷曲身体，降低身体重心。保护头颈，闭上眼睛，用湿毛巾等掩住口鼻，紧靠或者牢牢抓住附近的坚固物体。可利用棉坐垫、毛毯、枕头等物盖住头部，以免被砸伤。
- 如果是居住在平房，而户外有平坦开阔的空地，可以立即跑出居所，到开阔地带平卧。
- 在高楼居住时，应迅速切断电源，关掉煤气开关，打开房门。

- 房屋倒塌后形成的三角空间，是相对安全的避震空间。它包括床沿下、坚固家具下、内墙墙根、墙角等开间小的地方（图145）。
- 地震时，承重墙较多、开间小的房间更安全，如卫生间。但地震发生时，一般不要全家人都一起躲在卫生间，分散躲藏可以增加生存几率。
- 如果在学校，要迅速抱头，躲在课桌下或课桌旁。震后要按照平时的逃生训练，在老师安排下有序地转移至操场。到达操场后蹲下，双手保护头部，注意避开高大建筑物或者危险物。
- 如果在街道，应立即将身边的包或者柔软物品顶在头上，或者双手护头，避开人流，迅速跑向比较开阔的地区蹲下。注意防止被玻璃碎片、外墙砖块、变压器、电线杆、路灯、广告牌等掉落或者倒下砸到。
- 如果在城市街道行驶的车中，应尽快减速，避开十字路口将车子靠路边停下，然后立即下车抱头蹲在车边。如果地震时仍在车内，应抓牢扶手，降低重心，躲在座位附近。
- 如果在电梯内，应立即将各楼层的按钮全部按下，一旦停下，迅速离开电梯。
- 如果在野外，应在平坦开阔的地方蹲下或者趴下，不要乱跑，以免摔倒。应避开河边、山脚、陡崖、变压器、高压线。如遇到山崩、滑坡，要向垂直于滚石前进的方向跑。

图145 救命三角

震后自救

地震时如果被埋压在废墟下，要沉着冷静，树立生存的信心，想方设法保护好自己。如果多人被埋在一起，要互相鼓励。

- 要挪开头部、胸部的杂物以保持呼吸的顺畅，闻到煤气、毒气时，用湿衣服等物捂住口、鼻。
- 避开身体上方不结实的倒塌物和其他容易引起掉落的物体。
- 用砖块、木棍等支撑残垣断壁，尽量改善自己所处环境，扩大和稳定生存空间，以防余震发生后，环境进一步恶化而遭受新的伤害。
- 设法脱离险境，向有光亮的地方挖掘逃生。

- 如果找不到脱离险境的通道，要尽量保存体力，在听到外面有人声或者响动时，用石块敲击能发出声响的物体，向外发出呼救信号，使用一切手段与施救人员取得联系。
- 不要哭喊、急躁和盲目行动，尽可能控制自己的情绪或者闭目休息，保存体力，等待救援人员到来。
- 如果受伤流血，要设法包扎，避免失血过多和感染。
- 要想办法维持自己的生命，尽量寻找食物和水，尿液也要收集保存。

震后互救

震后，由于突发灾害，群众需要反应时间，或者救援道路交通被破坏，外界救灾队伍不能立即赶到救灾现场，所以，灾区群众积极自救互救，是减轻人员伤亡最及时、最有效的办法。

设立指挥部

为有效组织现场资源，要在现场设立指挥部，建立寻人组、破拆组、运输组、现场抢救组、后勤组、联络组等行动小组，各设组长，统一组织、指挥、集中一切力量，紧张、有序地救人，不要单独行动、乱行动。

寻找被困者

越早将被困者救出来，存活率越高。寻找被困者时，可以采用以下技巧：

- 施救者排队前进，保持安静，认真聆听是否有呼救声、呻吟声等。
- 施救者大声喊话或者敲击水管、建筑物后，认真聆听是否有异响或者呼救信号。
- 施救者将耳朵靠墙、贴地，听听是否有幸存者求救声或者敲打声。
- 施救者通过询问幸存人员，了解建筑物的结构，以及建筑物内是否还有其他人员。

救人脱险

发现人员被困后，在开始营救之前，要有计划、有步骤，哪里该挖，哪里不该挖，哪里该用锄头，哪里该用棍棒，都要先形成方案，才开始解救。

救援时，应注意：

- 尽快打通外界与被困人员之间的空间，使新鲜空气流入。
- 在挖、扒过程中，如果尘土太大，可以喷水降尘，以免埋压者窒息。
- 如果判断埋压时间较长，一时又难以救出，可设法向埋压者输送饮用水、食品和药品，以维持其生命。
- 使用铁棒、锄头、铁锹等工具，在不破坏被埋压者所处空间周围的支撑条件和引起新的垮塌的情况下，要从上到下，小心清除埋压物。
- 清理时应先暴露埋压者的头部和胸部，清除灰尘、泥土，开放气道，保持呼吸道通畅，如发现呼吸停止，立即进行人工呼吸。

- 对于神志清楚的埋压者，在确认无脊椎损伤的前提下，可轻拉埋压者双足或者双手从缝隙中缓慢将其拽出，注意保持脊柱水平轴线及稳定性，切忌强拉硬拖。
- 对饥渴、受伤、窒息比较严重，埋压时间又较长的人员，被救出后要用深色布料蒙上眼睛，避免强光刺激。对伤者，根据受伤轻重，采取包扎或者送医疗点抢救治疗。

脱险后急救

施救者要掌握现场特点，包括房屋倒塌程度、可能受伤人数和地点来选择安全救护场地。迅速组成现场救护指挥站，组织救援人员将患者脱离受伤现场。在选定的安全场地对患者进行现场救护，并设法寻找药物、水和适当食物给予急救。

患者按轻重缓急，进入红、黄、绿、黑四个区域。施救时，要注意以下几点:

- 休克患者要尽量减少搬动。地震造成的休克往往有胸腹部外伤，要迅速转送医院。
- 开放伤口应快速清除伤口周围泥土，用敷料或者其他洁净物品包扎、止血。
- 开放伤口破伤风和气性坏疽发生率很高，应尽快彻底清创，肌注破伤风抗毒素。
- 骨折固定时，应选择一切可利用的物品作为固定材料。
- 脊柱骨折于震后多见，搬运时要尽量保护脊柱，用门板、担架等转运。

震后避难

因地震造成火灾、房屋倒塌、地面裂开等情况危及人身安全时，应采取避难措施。

- 人们应服从指挥，在指挥官的带领下有序地步行避难，携带的物品应在最少限度。
- 震后避难时，应选择平坦、开阔的地面，比如公园和操场。
- 要远离高楼、大烟囱、高压线，以及桥梁、隧道、峭壁、陡坡、海边、巷道或者地下通道。
- 要防止地震后引起的水灾、火灾及有毒气体蔓延等次生灾害。
- 要采取各种措施防止恶性传染病的发生，如消毒、掩埋尸体、对高危人群进行预防用药。
- 不要传谣、造谣和相信谣言。

露宿

地震后，许多房屋不再安全，或者房屋内无法住人，要在室外露宿。

露宿时，应该尽量利用身边有限的资源，建好宿营地，确保安全，不断改善生活环境，并做好经常性预防工作，防止传染病通过空气、食物与水、昆虫传播。

- 露宿地点应选择干燥、避风、平坦之处，在地上铺上床单、棉布等，有条件时搭建帐篷。
- 露宿时要注意防蚊虫叮咬、保暖、防雨雾、防潮湿、防火。
- 露宿时要注意环境卫生，要集中在指定地点大小便，勤洗手，防止传染病发生。

爆炸事件

一般概念

爆炸可见于恐怖事件，也可能是因室内场所燃气爆炸、车辆自燃爆炸、飞机起火爆炸，以及厂房仓库内危险化学品等易燃易爆品保管不善而发生的安全生产事故。

粉尘爆炸是指粉尘如面粉、可可、软木、轻橡胶、塑料，以及所有的有机化合物和各种无机材料，如硫、镁、铁、钴等，在空气中达到一定浓度时，只要一遇到明火，就会发生爆炸。

爆炸对人的伤害有四种：第一种是爆炸导致的气压突然改变（例如冲击波）对人体组织造成的伤害；第二种是爆炸产生的碎片对人体造成的钝性或者穿刺性伤害；第三种是受害者的身体被掀翻后撞击地面或者其他物体造成的损伤；第四种是爆炸伴随的一氧化碳中毒、着火、塌方、吸入烟雾或者热气带来的损伤。

逃生方法

发现爆炸引起的火光，或者听到爆炸声后，应立即自救避险逃生。

- 寻找最近的庇护屏障，躲在屏障后面。脸朝下，双眼紧闭，双手交叉放在胸前，弯腰低头，蜷曲身体。
- 选择合适时机，迅速逃离危险区域。
- 到安全地点后，采用合适技术处理创伤。

踩踏事件

一般概念

踩踏事件通常发生在人员密集的场所，人倒地后不能及时爬起，或者爬起后又被推倒，被人踩在脚下或者压在身下，对人体造成各种损伤。主要的致伤因素有撞击、挤压、碾挫等。

逃生方法

发生踩踏事件后，要采取以下方法自救逃生。

- 发生意外事故后，人群拥挤时，不要慌乱，要服从工作人员指挥，有序撤离。
- 撤离时应顺着人流的方向走，人流特别拥挤时，一只手握拳，另一只手握住这只手的手腕，撑开双臂与肩同宽，放在胸前，背向前弯，在胸前形成牢固而稳定的三角保护区，使胸部不受挤压（图146）。
- 保持身体平衡，一直走，不要在人流中停下来，不要摔倒。
- 如果鞋带松了，不要弯腰系鞋带。如果鞋带被别人踩住，应迅速脱掉鞋子。如果被踩掉鞋子，不要弯腰寻找捡拾。

- 如果有人群正面向自己涌来，要立即避到一边，或者蹲在附件的墙角下，抓住栏杆、电线杆、柱子等物，待人群过后再走。
- 如果前方有人摔倒，要立即停下脚步，同时大喊，告知后方人员不要涌上来。
- 如果被挤倒在地，应立即起身，跟上前者。如果爬不起来，要迅速侧卧，双膝尽量前屈，蜷缩身体呈球状，双手紧扣护着颈后，保护好头、颈、胸、腹等重要部位（图147）。
- 到安全地点后，采用合适技术处理创伤。

图146 撑手保护

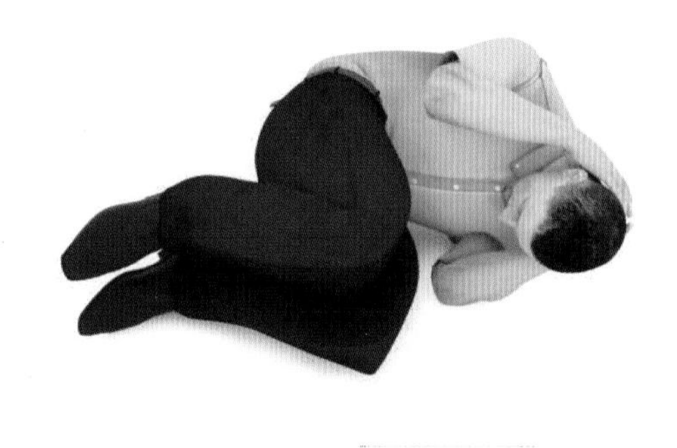

图147 倒地后的自我保护姿势

第十二篇 紧急心理救护

学习目标

阅读完本篇后，我们应该:

了解心理救护的一般概念

了解常见的心理状态

掌握心理救护的目的

掌握心理救护的步骤

掌握心理救护的内容

掌握放松疗法

掌握施救者的自我心理救护

一般概念

人们在面对突发急症、意外伤害或者灾害时，除了身体伤痛外，还会有不同程度的心理伤害。

心理救护则是减轻突发事件所带来的痛苦，增强短期和长期功能性、适应性能力的方法。

这些伤害包括生理反应、情绪反应和行为反应。

生理反应表现为血压升高、心跳加快、呼吸急促、头晕、头痛、恶心、呕吐、出冷汗、四肢颤抖、大小便失禁等。

情绪反应表现为激动、恐惧、焦虑、抑郁、内疚、麻木等。

行为反应表现为迷茫、惊慌失措、失控、大哭、自言自语、坐立不安、过度活跃、逃跑、无目的漫游、行动能力减低、瘫痪等。

心理创伤如果不被施救者注意到，得不到及时救治，可能会转化为心理疾病，或者发展为更加严重的不良行为，如自伤、自杀，甚至造成其他恶性社会事件。

常见的心理状态

在事发现场，患者的心理活动是非常复杂且是多样的。对患者的心理表现可归纳为以下三种心理状态:

- 紧张、害怕、恐惧。患者表现为言语慌乱、语无伦次，情绪激动、难以平静甚至有发抖，蜷缩身体或呆若木鸡。
- 烦躁、坐立不安。患者表现为高声吵闹、拒绝配合、极易激动，有时具有攻击性。
- 情绪低落、绝望。患者表现为悲观、懒言少语、持续哭泣，对外界环境的刺激反应低下，有自杀倾向。

心理救护的目的

心理创伤是正常人在危机事件中的正常反应。这种反应可能是短暂的，也有可能持续较长时间。

现场急救时，施救者应首先救治身体创伤。但是，也应同时关注患者的心理创伤，实施紧急心理救护。

其目的有以下四个：

- 缓解患者的紧张情绪，提供安抚和精神支持，协助他们适应当前的环境，避免病情加重。例如，接触与投入，回应患者发出的需要接触的信息，或者以非侵入性、富有同情心及乐于助人的态度主动给患者提供实际帮助。
- 减少患者的心理创伤，以及危机后生存和生活的影响，促进心理、精神康复。例如，安全与舒适，提高幸存者即时的和持续的安全感，使其得到身体上和情感上的舒适。
- 舒缓患者的生理和情感，避免患者出现自伤或者自杀行为。例如，稳定情绪，安抚和引导情绪，帮助他们说出需求和忧虑，防止患者情绪崩溃。
- 跟踪分析患者心态变化，减少出现无助心理。例如，帮助与最初的救援人员或其他支持资源建立起短期的或持续的联系，这些资源包括家人、朋友、社区援助资源以及相关服务机构。

心理救护的步骤

施救者在对患者进行身体的急救处治后，可以按以下步骤进行心理救护。

- 接近、评估。
- 非评判性倾听。
- 给予支持和信息。
- 指导、监督患者进行自我调节。
- 帮助患者寻求专业援助和其他支持。

心理救护的内容

在事情发生后，施救者根据患者的不同心理反应，给予不同的心理救护措施。

这些救护措施包括以下内容：

- 接近、评估患者。施救者接近患者，介绍自己，在救治的同时对患者观察和沟通，评估患者是否存在心理创伤。
- 脱离应激源。施救者在现场应表现出专业、镇静，给患者以信心和安全感。如果患者在事发现场表现出强烈的心理创伤反应，非常恐慌，应尽快将患者撤离至安全地带。
- 表达施救者的关心。通过一定的行为、语言来表达施救者对患者是真诚的关心，但是施救者应该注意，这些行为和言语应该符合患者所处场所、文化习惯、性别、年龄、身份等，要让患者不反感，如握手，轻拍肩膀，抚摸后背等。
- 给予患者可见的帮助。如扶持他们到安全的地方，提供必须的身体救护，协助收拾随身物品，给他们提供食物和水，帮助他们打电话通知亲人，陪伴在患者的身边。

- 非评判性倾听。患者可能很有言语欲望，渴望有人能与其一起分担，希望能得到他人的体谅、理解和同情。此时，施救者应怀着同情心和同理心倾听患者，让他们自由说话。倾听不仅要获得信息、了解情况，还要了解言语背后的情感。为了更好地听，还要学会说。施救者不仅要从语言及副语言中准确把握对方的感受，还要通过适当的言语回应引导出更多的信息。倾听有利于建立彼此的关系，有利于澄清事实，有利于情绪宣泄。怀着真诚关怀的态度，尊重患者，认真聆听他们的话语，保持眼神接触。不时用“点头”“嗯”“是啊”等表达对他们所说的话的理解，使他们不觉得孤单。尽量不要发表意见和看法，不要打断他们的说话，不要批评或者否认患者的感受，不要插入太多自己的个人意见和经验分享。除非他们自己说出来，否则不要追问他们详细的受伤经历。
- 给予支持和信息。如果施救者能认真倾听，患者可能会感受到这种倾听，并认同、信任施救者。此时，施救者可以给患者提供基本的支持，如给予他们需要的物资、信息、陪伴、安慰和希望。
- 帮助其做出决定。患者情绪反应激烈时，往往手足无措，漫无目的地游走，自言自语，面对现场不知道如何抉择。此时，施救者应在给予其身体救治后，对患者进行充分评估，了解他内心的真实想法，帮助他在理性的基础上做决定。比如，联系他的家人，帮助呼叫120，指导其自救。
- 帮助患者自我调节。对于紧张、害怕、恐惧的患者可适时告诉患者受伤情况，让其了解自己的伤情和救治的措施及注意事项等，同时耐心地开导，增强其战胜疾病的信心。对于烦恼、坐立不安的患者，要引导患者放松自己，要允许患者哭泣、大喊来发泄他们的情绪。对于情绪低落、绝望的患者，要找准患者的“心结”进行心理疏导，消除其悲观、绝望的情绪。对于患者表现出来的心跳加快、呼吸急促、头晕、恶心等生理反应和紧张、焦虑、恐惧等情绪反应，施救者可以指导患者做放松疗法。
- 鼓励寻求恰当的专业援助。对于严重的心理创伤患者，施救者掌握的心理救护知识可能是不够的。此时，可以告诉患者如何获得更加专业的帮助，如咨询心理学专家、精神科医生。施救者应鼓励患者主动去寻求这些服务。
- 鼓励寻求其他支持。鼓励患者寻求同事、家人、朋友的帮助，或者社会组织、志愿者、慈善机构等其他帮助和支持。
- 发现并处理有自伤、自杀倾向的患者。对于此类患者，施救者要注意自己及周围人员的安全，要搜走患者隐藏起来的自伤、自杀物品，缓解他们的情绪，开解他们的想法，安排患者亲人不间断陪伴，替他们寻找专业人员救治。

放松疗法

针对患者表现出来的心跳加快、呼吸急促、头晕、恶心等生理反应和紧张、焦虑、恐惧等情绪反应，施救者给患者做放松疗法。

一个人的心情反应包含“情绪”与“躯体”两部分。假如能改变“躯体”的反应，“情绪”也会随着改变。放松疗法就是通过意识控制使肌肉放松，间接地放松紧张情绪，从而缓解心理创伤。

施救者应大声、清晰地给予指令，并配合恰当的动作，督促和引导患者放松。

主要的方法有以下三种:

腹式呼吸法

腹式呼吸法是一种控制节律的深度呼吸方法，采用稳定的、缓慢的深吸气和深呼气，达到松弛目的。

方法如下：

- 让患者采取仰卧或者舒适的坐姿，闭上双眼。
- 患者的一只手放在腹部肚脐处，放松全身，紧闭嘴唇，然后用鼻子作3～5秒深吸气，最大限度地向外扩张腹部，使腹部鼓起，胸部保持不动。
- 屏气1～2秒后，缓慢呼气3～5秒，在呼气的同时，腹部收缩，直至将全部的气体呼出。
- 如此循环往复，保持每次呼吸的节奏一致。一般要求连续呼吸20次以上，直至患者情绪稳定。

肌肉松弛法 

通过反复不断地肌肉绷紧、放松训练，将不良情绪释放出来，以缓解心理创伤。

方法如下：

- 头部放松：用力皱紧眉头，保持5秒钟，然后放松；用力闭紧双眼，保持5秒钟，然后放松；皱起鼻子和脸颊部肌肉，保持5秒钟，然后放松；用舌头抵住下腭的门齿，口尽量张开，头向后抬，保持5秒钟，然后放松。
- 颈部肌肉放松：头用力下弯，努力使下巴抵达胸部，保持5秒钟，然后放松。
- 肩部肌肉放松：双臂平放身体两侧，尽量提升双肩向上，保持5秒钟，然后放松。
- 臂部肌肉放松：双手掌心向上平放在座椅扶手上，握紧拳头，使双手及前臂肌肉保持紧张5秒钟，然后放松。侧平举张开双臂做扩胸状，体会臂部的紧张感5秒钟，然后放松。
- 胸部肌肉放松：双肩向前收，使胸部四周的肌肉紧张，保持5秒钟，然后放松。
- 背部肌肉放松：双肩用力往后扩，体会背部肌肉的紧张感5秒钟，然后放松。向后用力弯曲背部，努力使胸部弓起，挤压背部肌肉5秒钟，然后放松。
- 腹部肌肉放松：尽量收紧腹部，就像别人向你腹部打来一拳，你在收腹躲避一样，保持收腹5秒钟，然后放松。
- 臀部肌肉放松：夹紧臀部肌肉，收紧肛门，使之保持紧张5秒钟，然后放松。
- 腿部肌肉放松：绷紧双腿，伸直上抬，腿离地面20厘米，保持5秒钟，然后放松。
- 脚趾肌肉放松：将脚趾慢慢向下弯曲，仿佛用力抓地，保持5秒钟，然后放松。将脚趾慢慢向上翘，保持紧张5秒钟，然后放松。

连续完成以上从头到脚十部分的肌肉放松，患者可体会到肌肉结束紧张感后的舒适、松弛的感觉，比如热、酸、软等感觉。每次可用15～20秒钟的时间来体会放松感。

注意:

在紧绷肌肉时不要过度用力，以免拉伤肌肉。

着陆的方法

着陆的方法作用原理是把注意力从内心思考转回到外部世界，让其与现实接触。方法如下：

- 说出五个你能看到的不让人难过的物体。
- 说出五个你能听到的不让人悲伤的声音。
- 说出五件你能感觉到的不让人悲伤的事情。

施救者的自我心理救护

在施救时，施救者也会有生理和心理反应，出现心跳加速、呼吸急促、情绪紧张，以及震撼、恐惧、悲伤、自豪感、不可控感、创伤后应激反应等。

在施救后，施救者有时也会产生很大的心理压力，特别是在施救不成功时，会产生懊恼、悔恨等情绪。

施救者可通过学习心理学，接受针对心理应激反应与心理调节的知识训练来调整和控制情绪。当施救者掌握了相关的知识后，不仅可以提高自身的心理素质，解决自身的心理问题，也可以在救护中帮助患者解决类似的问题，从而从生理与心理上同时施救，提高救护的质量和速度。

施救者要学会多种自我放松的方式：

- 保持良好的心态，争取获得良好的休息和饮食。良好的心态、休息和饮食可以使施救者保持充沛的精力和体力去面对碰到的问题，从而得到良好的救援效率。
- 正确的情绪引导。加强与亲友、同行、队友之间的沟通，可以获得心理归属与情感寄托。幽默语言和善意玩笑更能发挥良好的效果。适合个人的宣泄方法如听音乐、看电影、散步、写日记、唱歌等，可以把心理压力更好地发泄出来。
- 交换心得、保持信心。施救者之间要经常进行交流和讨论，通过微信群、座谈会等形式分享经验，共享抢救成功的喜悦，将自己的急救事例以讲故事的形式说给其他人听。
- 巩固基础、勤练技能。经常复习急救知识，练习急救技能，对自己的急救技术充满信心，坚信自己的施救使患者得到救护。

施救者应主动采取一些积极的或至少是无害的应对措施，转移心理压力。否则，如果施救者没有良好的身心状态，可能会在现场采取一些不恰当的应对措施或者消极的自我防御机制，如否认、退行、回避、压抑等，对现场施救不力。长期应对不当甚至会导致恐惧症、焦虑症、强迫症，以及头痛、失眠、消化不良等症状。

心理反应既有负性的也有正性的。科学有效的心理指导，正确面对自己的不良心理反应，有针对性地选择干预措施，能有效避免出现自责、消极心态，无助感，等等。如果觉察自己处于异常心理状态，应该积极、主动地寻求专业人士进行心理咨询，进行最好的心理调节。

附录一 创伤急救包配置推荐清单表

物品名称	规格	单位	数量
一次性无菌乳胶手套	—	副	3
口对口呼吸面罩	成人	个	1
口对口呼吸面罩	儿童或者婴儿	个	1
医用脱脂棉	25g	袋	1
易折苯扎氯铵棉棒	0.10%～0.12%,8支/袋	袋	4
创可贴	1.5cm×2.3cm,4片/袋	袋	4
创可贴	4.5cm×6.0cm,1片/袋	袋	2
医用胶布	—	卷	1
外科纱布敷料	5cm×7cm,8层,2片/袋	袋	5
医用弹性绷带	7.5cm×450cm	卷	3
医用弹性绷带	5cm×450cm	卷	2
三角巾	96cm×96cm×136cm	包	8
弹力网帽	4.5cm	包	2
急救毯	210cm×160cm	包	1
铝塑夹板	11cm×45.7cm	块	4
卡扣止血带	—	条	1
旋压式止血带	—	条	1
敷料镊	ABS	把	1
安全剪刀	15cm	把	1
口哨	—	个	1
手电筒	—	支	1
一次性速冷冰袋	80g	袋	4
方形小药盒	100mm×64mm×32mm	个	1

云南白药喷雾剂	50+60g	套	1
云南白药（散剂）	4g/瓶，1粒保险子	瓶	2
云南白药膏	6.5cm×10cm,1片/袋	袋	5
湿润烧伤膏	—	支	1
干燥剂	10g/袋	袋	1
胶 针	5寸	根	1
别 针	—	根	5

附录二 自测习题集

说明：以下题目均为选择题，有一个或多个正确答案。

第一篇 现场急救总则

1 下列不属于我国急诊医疗服务体系的是：（ ）

A 院前急救　B 医院急诊

C 康复理疗　D 危重症监护

2 现场急救的首要原则是：（ ）

A 现场安全　B 评估伤情

C 就地抢救　D 及时转运

3 挽救心脏骤停患者生命的黄金时间是：（ ）

A 6分钟　B 4分钟　C 8分钟　D 10分钟

4 正确的施救原则是：（ ）

A 先施救，后呼救

B 灾害事故抢救群体患者时，应按先近后远、先多后少、先易后难的顺序进行挖掘和抢救

C 先治伤，后救命

D 先救人，后救己

5 下列脱手套的方法，正确的是：（ ）

A 戴手套的手不能握住被脱下手套的外面

B 已脱掉手套的手，不能碰到手套的里面

C 脱下的手套应直接丢进生活垃圾桶内

D 将两只手套放进塑料袋，密封，交给120急救人员带走或者放到医疗机构的医疗垃圾桶。

6 患者发生急性心力衰竭，神志清楚，应选择的急救体位是：（ ）

A 端坐位　B 半卧位

C 头高足低位　D 头高侧卧位

7 休克体位的正确摆放方法是：（ ）

A 头、背部垫物，抬高25°～35°，小腿和脚部垫物，抬高15°～20°

B 头、背部垫物，抬高20°～30°，小腿和脚部垫物，抬高10°～15°

C 头、背部垫物，抬高20°～30°，小腿和脚部垫物，抬高15°～20°

D 头、背部垫物，抬高25°～35°，小腿和脚部垫物，抬高10°～25°

8 现场急救的目的是：（ ）

A 挽救生命
B 防止病情恶化
C 心理安慰
D 避免再次损伤

9 在车祸事故现场，施救者的职责是：（ ）

A 保证施救者、患者和旁观者安全，避免再次伤害

B 识别患者发生的急症，初步判断病情

C 呼叫更多人提供帮助，呼叫110、119、120等请求专业人员救援

D 采取正确的方法施救

10 《中华人民共和国民法典》第184条规定："因自愿实施紧急救助行为造成受助人损害的，救助人不承担民事责任。"的"好人法"，包含的含义是：（ ）

A 救助人实施被动善意的、有偿的救助行为

B 受助人处于危险之中，急需他人帮助

C 在此过程中，救助人的行为对受助人造成了损害

D 救助人实施主动善意的、自愿的、无偿的救助行为

第二篇 现场急救流程

11 施救者在所乘车辆接近现场时，首先应该开始：（ ）

A 呼叫120
B 疏导交通，维护现场秩序
C 隔窗评估
D 立即开始施救

12 AVPU是对患者意识水平的一个简单的评估，其中V代表：（ ）

A 大脑功能严重受损，对任何刺激都没有反应

B 对声音有反应

C 意识清醒，大脑功能良好

D 对疼痛有反应

13 眼眶周围有青紫瘀肿（熊猫眼），提示患者可能有：（ ）

A 颅脑出血
B 颅骨骨折
C 颅底骨折
D 颅内血肿

14 施救者应关注患者生命体征，对于危重患者应每隔（ ）测量一次生命体征。

Ⓐ 2分钟 Ⓑ 5分钟 Ⓒ 10分钟 Ⓓ 15分钟

15 施救者对创伤患者进行全身详细检查时，一般按照（ ）顺序依次进行。

Ⓐ 头部→颈胸→腹部→骨骼四肢→背部评估

Ⓑ 头部→骨骼四肢→颈胸→腹部→背部评估

Ⓒ 骨骼四肢→头部→颈胸→腹部→背部评估

Ⓓ 颈胸→腹部→头部→骨骼四肢→背部评估

16 对于轻伤患者，可以隔（ ）测量一次生命体征，直至120急救人员到达。

Ⓐ 2分钟 Ⓑ 5分钟 Ⓒ 10分钟 Ⓓ 15分钟

17 压迫指甲甲床时，说明循环良好的是：（ ）

Ⓐ 松开手指3秒后，甲床仍然苍白

Ⓑ 松开手指2秒后，甲床恢复红润

Ⓒ 松开手指2秒后，甲床仍然苍白

Ⓓ 松开手指3秒后，甲床恢复红润

18 现场急救的步骤是：（ ）

Ⓐ 现场评估 Ⓑ 快速施救

Ⓒ 详细检查 Ⓓ 转运和交接

19 现场评估包括：（ ）

Ⓐ 环境是否安全 Ⓑ 建立对患者第一印象

Ⓒ 资源和支援 Ⓓ 制止大出血

20 初步处置应包括：（ ）

Ⓐ 大出血，意识异常，立即处置

Ⓑ 气道异常，立即处置

Ⓒ 呼吸异常，立即处置

Ⓓ 循环异常，立即处置

21 出现（ ）时，施救者可以中断初步检查。

Ⓐ 周围环境不安全 Ⓑ 大出血不能控制

Ⓒ 气道梗阻 Ⓓ 心跳呼吸停止

22 采用“轻拍重唤看反应”的方法，判断意识的方法正确的是：（ ）

A 成人拍打双肩判断意识
B 成人拍打颜面判断意识
C 婴儿拍打双肩判断意识
D 婴儿拍打足底判断意识

23 病史采集非常重要，正确的病史有助于判断病情。施救者应询问：（ ）

A 事情经过，主要症状
B 服药史，既往史
C 过敏史，进食史
D 子女情况

24 详细检查包括：（ ）

A 患者的基本信息
B 患者的病史情况
C 患者的身体状况
D 患者的生命体征情况

25 施救者在与120急救人员进行交接时，应说明：（ ）

A 了解到的基本情况
B 施救的经过
C 移交患者的随身物品
D 告知患者亲友的联系方式

第三篇 心肺复苏

26 心肺复苏通过（ ）促进血液流动和气体交换，使脑和心脏等重要器官有血流供应，以利于尽快恢复心跳、呼吸和意识。

A 口对口人工呼吸
B 胸外按压
C 胸外按压和人工呼吸
D 复苏体位

27 施救者应同时、迅速判断患者气道是否通畅、呼吸是否存在。施救者来回扫视患者头部和胸部，观察患者是否有正常呼吸的判断时间是：（ ）

A 10～15秒钟
B 5～8秒钟
C 10～20秒钟
D 5～10秒钟

28 非专业施救者不需要判断患者颈动脉搏动，以争取尽快对（ ）无呼吸者进行心肺复苏。

A 无表情
B 无反应
C 无微笑
D 无抬头

29 成人和儿童的按压部位在：（ ）

A 胸部上
B 肋骨上
C 胸部中央的胸骨的下半段
D 腹部上

30 成人胸骨被压下至少（ ）厘米，不要超过6厘米。

A 5
B 4
C 3
D 2

31 口对口人工呼吸时要注意的操作要点有：（ ）

A 如果吹气不成功，没有看到患者胸廓起伏，应重新开放气道，再吹气
B 尽量在10秒钟内进行两次有效的人工呼吸
C 看到患者胸部隆起即可停止吹气，避免吹气过多
D 看到患者腹部隆起即可停止吹气，避免吹气过多

32 心肺复苏应该持续进行，只有遇到以下情况才能终止：（ ）

A 施救者认为没有抢救成功的希望
B 心肺复苏成功，出现心肺复苏有效的指征
C 120急救人员到来，交由专业人员进行施救
D 周围环境变得不安全，危及施救者的生命

第四篇 自动体外除颤器的使用

33 据统计，在发生心脏骤停的患者中，有（ ）的心律失常是心室颤动，而治疗心室颤动最有效的方法是电除颤。

A 35%～55%
B 45%～65%
C 65%～85%
D 85%～100%

34 时间是治疗心室颤动的关键。发生心脏骤停后10分钟内，每延迟除颤1分钟，患者抢救成功率下降：（ ）

A 10%～20%
B 7%～12%
C 10%～15%
D 7%～10%

35 当患者无意识、无（ ）或者呈濒死呼吸时，就需要使用AED。

A 说话
B 动作
C 指令
D 呼吸

36 （ ）及以上的患者，使用成人电极片。（ ）以下的患者，使用儿童电极片。但是如果没有儿童电极片，也可以使用成人电极片。

A 5岁
B 6岁
C 7岁
D 8岁

37 成人和8岁以上儿童电极片粘贴的位置是前侧位：一片位于（ ），另一片位于左乳头外侧，电极片的上缘位于腋下7～8厘米。

A 右锁骨正下方　B 左锁骨正下方
C 胸骨正中　D 胸骨的下半段

38 电击完成后，施救者应从（ ）这一步骤开始继续心肺复苏。

A 人工呼吸　B 开放气道
C 仰额提颏　D 胸外按压

39 急救时，AED应持续开机，不要关机，也不要撕下电极片。每隔约（ ），AED会再次分析心律。

A 4分钟　B 3分钟　C 2分钟　D 1分钟

40 只有一名施救者，发现患者心脏骤停，但是施救者没有电话可以呼叫120，身边也没有AED，施救者应大声呼喊，叫更多的人来帮忙，并且（ ）

A 如果患者是成人，应立即去寻找电话报警并获得AED
B 如果患者是儿童，应进行5组心肺复苏循环（约2分钟），再去寻找电话报警并获得AED
C 如果患者是婴儿，应进行5组心肺复苏循环（约2分钟），然后抱着婴儿去寻找电话报警并获得AED
D 如果患者是老人，可以直接送其回家

41 AED放电时，如果有人与患者接触，接触者也会被电击。所以，施救者在使用AED时，必须沉着冷静，在贴上电极片后，必须（ ），以免发生施救者或旁观者也被电击的事故。

A 请周围所有人紧挨着患者
B 请周围所有人离开患者
C 要求旁观者保持安静
D 听从AED语音提示进行操作

42 全自动AED在充电完成后，有类似这样的语音提示（ ），同时有灯光快速闪烁。此时，施救者应确保所有人离开患者。几秒后机器会自动放电，不需要施救者按键放电。

A 请做好准备，准备进行电击
B 请与病人保持距离，切勿接触病人
C 请做好准备，并快速远离病人直到见不到病人为止
D 请周围人离开，但施救者必须抓紧病人手臂

43 如果患者右锁骨正下方有植入式起搏器，可以采用侧后位放置，方法是：（ ）

Ⓐ 一片位于右侧胸部，介于患者的胸骨和乳头之间

Ⓑ 另一片电极片贴在背部的左侧，肩胛骨上方，靠近颈椎

Ⓒ 一片位于左侧胸部，介于患者的胸骨和乳头之间

Ⓓ 另一片电极片贴在背部的左侧，肩胛骨下方，靠近脊柱

第五篇 气道异物梗阻的解救方法

44 当异物吸入气管时，患者常不由自主地以（ ）紧抓自己的颈部，以示痛苦和求救。

Ⓐ 一手拇指和其余四指分开呈“V”字形

Ⓑ 一手扯下自己的衣领

Ⓒ 双手紧握

Ⓓ 原地打滚

45 如果患者是孕妇，或者腹部过于肥胖，施救者不能实施腹部冲击法，应该将冲击的部位改在：（ ）

Ⓐ 胸部　　Ⓑ 腹部

Ⓒ 胸骨下半段　　Ⓓ 心脏位置

46 如果患者是儿童，使用海姆立克急救法，施救者可以（ ）进行施救。

Ⓐ 将儿童倒立　　Ⓑ 蹲下或者跪下

Ⓒ 将儿童抱起来　　Ⓓ 拼命拍打肩膀

47 如果患者独自一人在家，吃东西的时候不小心被卡喉，可以采用（ ）进行急救。

Ⓐ 自行腹部冲击法　　Ⓑ 倒立

Ⓒ 大口吞饭　　Ⓓ 大口喝醋

48 1岁以内的婴儿发生气道异物梗阻，施救者可以采取（ ）来解除气道异物。

Ⓐ 将婴儿倒立　　Ⓑ 用力拍打屁股

Ⓒ 拍背和胸部快速冲击　　Ⓓ 刺激足底

49 如果异物较小，发生不完全的气道异物梗阻，患者表现出：（ ）

Ⓐ 兴奋　　Ⓑ 咳嗽

Ⓒ 喘气　　Ⓓ 咳嗽弱而无力

50 下列抽搐患者现场急救措施中正确的是：（ ）

A 压迫患者四肢
B 掐人中
C 不要限制患者的抽动
D 给患者喂水、吃药

51 心肌梗死的常见表现有：（ ）

A 上腹痛
B 牙齿痛，咽喉痛
C 胸部中央剧烈胸痛
D 肢体偏瘫

52 心肌梗死患者现场急救措施中首要处理方法是：（ ）

A 立即步行前往医院
B 拍打肘窝
C 扎手指放血
D 停止运动，避免任何形式的用力，打120

53 下列不属于脑卒中患者典型表现的是：（ ）

A 一侧肢体无力
B 口眼歪斜不对称
C 说话口齿不清
D 面色苍白，低血糖

54 对于低血糖患者的首要处理是：（ ）

A 注射胰岛素
B 补充葡萄糖
C 立即送往医院
D 联系家人

55 下列晕厥患者现场急救措施中错误的是：（ ）

A 迅速将患者放平躺
B 保持周围环境安静、通风，注意保暖
C 保持气道通畅，及时清除口腔分泌物和呕吐物
D 服用速效救心丸

56 心肌梗死的常见诱因有：（ ）

A 天气寒冷
B 饮食过饱
C 剧烈运动
D 情绪激动

57　休克患者的表现有：（ ）

Ⓐ 面色苍白，四肢冰凉
Ⓑ 神志模糊，烦躁不安
Ⓒ 脉搏微弱、细速
Ⓓ 血压下降

58　患者发生低血糖的表现有：（ ）

Ⓐ 面色苍白，软弱无力
Ⓑ 心慌，出冷汗
Ⓒ 肢体颤抖，脉搏细速
Ⓓ 头晕，视物模糊

第七篇 创伤急救

59　足踝扭伤后局部红肿疼痛，现场最简单的急救处理是：（ ）

Ⓐ 冷敷伤处
Ⓑ 活动伤足
Ⓒ 局部按摩
Ⓓ 涂红花油

60　四肢开放性骨折，对于外露的骨折端，下列现场急救措施中正确的是：（ ）

Ⓐ 包扎固定
Ⓑ 用水冲洗伤口
Ⓒ 给伤口上药
Ⓓ 将骨折断端塞回

61　下列包扎法中不是绷带包扎的方法的是：（ ）

Ⓐ 绷带环形包扎法
Ⓑ 绷带“8”字形包扎法
Ⓒ 头顶双绷带包扎法
Ⓓ 帽式包扎法

62　给断肢患者使用止血带止血时，正确的方法是：（ ）

Ⓐ 只要伤口有出血，就要使用止血带
Ⓑ 直接绑在肢体上
Ⓒ 可以用铁丝代替止血带
Ⓓ 一般绑在伤口上方5厘米处

63　禁止松开止血带的情况不包括：（ ）

Ⓐ 预计无法对松开止血带造成的出血进行有效止血
Ⓑ 使用止血带时间已经超过2小时
Ⓒ 患者休克
Ⓓ 肢体离断

64　固定骨折时需要遵循的正确的原则是：（ ）

- A 应先止血，再进行包扎固定
- B 外露的骨折端应该送回伤口，畸形的伤肢也要复位
- C 固定时动作要轻，要牢靠
- D 应先固定骨折的近心端，再固定骨折的远心端

65　左小腿开放性骨折，现场应采取的急救措施是：（ ）

A 包扎　B 止血　C 固定　D 复位

66　下列手指离断伤的急救措施中正确的是：（ ）

- A 对离断处的伤口进行止血包扎
- B 用无菌敷料包裹断指，放入塑料袋密封
- C 将塑料袋放入一个装有冰水混合物的容器内密封
- D 将断指冲洗后直接放入装有冰水混合物的容器内

67　下列腹部肠外漏的急救措施中正确的是：（ ）

- A 用干净的敷料覆盖膨出的组织
- B 用三角巾卷成保护圈套住膨出的组织
- C 用干净的碗将其完全盖住
- D 将腹部膨出的组织回纳

第八篇 急性中毒急救

68　有机磷农药生产或使用过程中，导致人体中毒的主要途径不包括：（ ）

A 皮肤　B 静脉注射
C 呼吸道　D 消化道

69　一氧化碳中毒时，最容易损害的器官或组织的是：（ ）

A 眼睛　B 肝脏　C 肾脏　D 脑

70　北方农村某农户，冬季采用炉灶取暖，家中老人晨起后感到胸闷，呼吸困难，皮肤黏膜呈樱桃红色，引起这些症状的有毒物质可能是：（ ）

A 二氧化碳　B 甲醛
C 一氧化碳　D 二氧化硫

71 下列一氧化碳中毒的现场急救措施中首先要采取的是：（ ）

Ⓐ 吸氧
Ⓑ 开窗通风，关闭燃气
Ⓒ 松解患者衣扣
Ⓓ 清洗皮肤

72 下列急性酒精中毒的现场急救措施中错误的是：（ ）

Ⓐ 保持呼吸道通畅
Ⓑ 头偏向一侧，防止窒息
Ⓒ 嘱患者安静休息，注意保暖
Ⓓ 适当饮用茶水解酒

73 下列百草枯中毒急救措施中错误的是：（ ）

Ⓐ 催吐
Ⓑ 洗胃
Ⓒ 导泻
Ⓓ 面罩吸氧

74 食物中毒的表现有：（ ）

Ⓐ 咯血
Ⓑ 腹痛、腹泻
Ⓒ 恶心、呕吐
Ⓓ 抽搐

75 下列一氧化碳中毒的现场急救措施中正确的有：（ ）

Ⓐ 开窗通风
Ⓑ 关闭煤气阀
Ⓒ 转移到安全、空气新鲜的地方
Ⓓ 呼叫120

76 下列农药中毒的现场急救措施中正确的有：（ ）

Ⓐ 迅速将患者脱离现场
Ⓑ 保持呼吸道通畅
Ⓒ 阻止毒物继续吸收
Ⓓ 服用大粪催吐

第九篇 动物咬伤急救

77 犬咬伤后冲洗伤口的方法中正确的是：（ ）

Ⓐ 用凉水冲洗伤口至少5分钟
Ⓑ 用流动的清水冲洗伤口至少10分钟
Ⓒ 用肥皂水和流动的清水交替清洗伤口至少10分钟
Ⓓ 用肥皂水和流动的清水交替清洗伤口至少15分钟

78 下列牙印中属于有毒蛇咬伤的是：（ ）

A 一排整齐且深浅一致的牙印

B 两排整齐且深浅一致的牙印

C 两颗较大呈“●●”形状的牙印

D 无牙印

79 上海蛇药的服用方法正确的是：（ ）

A 首次服10片，以后每4～6小时服5片

B 首次服10片，以后每4～6小时服10片

C 首次服5片，以后每4～6小时服5片

D 首次服5片，以后每4～6小时服10片

80 南通蛇药的服用方法正确的是：（ ）

A 首次服10片，以后每4小时服10片

B 首次服20片，以后每隔6小时服10片

C 首次服10片，以后每4小时服20片

D 首次服20片，以后每6小时服20片

81 下列犬咬伤后急救措施中正确的有：（ ）

A 从受伤肢体的近心端向伤口处挤压，使流出的血液带走病毒

B 立即用肥皂水和流动的清水交替清洗伤口至少5分钟

C 不要包扎伤口，以利于排毒

D 尽快去医疗或者疾病预防控制机构注射狂犬疫苗

82 蜈蚣咬伤的急救措施正确的有：（ ）

A 用肥皂水或弱碱性溶液冲洗伤口

B 用鲜蒲公英叶嚼碎捣烂后外敷

C 局部应用或者口服云南蛇药

D 用碘酒消毒伤口

83 蜜蜂蜇伤的急救措施正确的有：（ ）

A 用卡片小心刮出尾刺

B 用肥皂水冲洗伤口

C 用毛巾包裹冰袋对伤口冰敷

D 如果出现过敏反应，使用肾上腺素笔

84 低海拔地区的人在较短时间内进入海拔（ ）以上的高原时容易发生急性高原病。

A 1000米　B 2000米　C 2500米　D 3000米

85 对于发生急性高原反应的患者在休息、吸氧等对症处理不缓解甚至恶化者，应转运患者下行，降低海拔至少（ ）。

A 100米　B 200米　C 300米　D 500米

86 在野外遇到雷暴天气时，在（ ）躲避雷电是相对安全的。

A 山坡上　B 大树底下　C 在大伞下　D 汽车里

87 对于没有反应、没有呼吸的溺水患者正确的处理方法是：（ ）

A 先给予控水措施再行心肺复苏
B 立即开放气道、清理异物、人工呼吸2～5次，再行按压30次
C 先按压30次，然后通气2次
D 先清理口腔异物，按压30次，然后通气2次

88 对于肢体冻伤患者可以将冻肢浸泡在（ ）的温水中复温。

A 36～38℃　B 38～40℃
C 40～42℃　D 42～44℃

89 中暑按发病机制和临床表现可分为：（ ）

A 热痉挛　B 热衰竭　C 热惊厥　D 热射病

90 淹溺的生存链包括：（ ）

A 预防淹溺的发生
B 识别患者发生了淹溺
C 给患者提供漂浮物
D 将患者救起，脱离水面并现场急救

第十一篇 灾害逃生与急救

91 灾害救援黄金时间是：（ ）

A 3小时　B 24小时　C 12小时　D 7天

92 大规模群伤事件中，初次检伤应尽可能快，检查一名患者的时间在：（ ）

Ⓐ 10秒钟左右，不要超过30秒钟 Ⓑ 1分钟

Ⓒ 2分钟 Ⓓ 10秒钟

93 发生火灾后，应迅速反应，分秒必争，选择合适的逃生方法，以下不正确的是：（ ）

Ⓐ 报警

Ⓑ 灭火

Ⓒ 因地制宜，利用自制救援绳索逃生

Ⓓ 坐电梯

94 海啸逃生下列哪项不正确：（ ）

Ⓐ 在海边游玩时，应以最快速度撤离岸边，向内陆高处转移

Ⓑ 在外海的船只应向深海区行驶，深海区相对于海岸更为安全

Ⓒ 停在海港里的船只上的所有人都要保持冷静待在船舱内

Ⓓ 撤到安全地点后，采用合适技术处理创伤

95 台风来临，在街边行走时，应注意尽快躲进坚固的建筑物里，以下做法哪项不正确：（ ）

Ⓐ 弯腰降低重心，将身体紧缩成一团，穿上轻便防水的鞋子和颜色鲜艳、紧身合体的衣裤，把衣服扣好或者用带子扎紧，穿好雨衣，戴好雨帽，系紧帽带，或者戴上头盔

Ⓑ 要快跑，但不能顺风跑

Ⓒ 尽可能抓住或者紧靠墙角、栅栏、柱子或者其他稳固的固定物行走

Ⓓ 在建筑物密集的街道行走时，要特别注意躲避高空坠物，以免被砸伤

96 地震从被感知到造成破坏的时间平均只有（ ）。

Ⓐ 12秒钟 Ⓑ 10秒钟 Ⓒ 15秒钟 Ⓓ 30秒钟

97 人们在灾害来临时，第一时间应采取的避险逃生方法有：（ ）

Ⓐ 评估周围环境是否安全

Ⓑ 互相扶持

Ⓒ 采取正确逃生方法避险逃生

Ⓓ 尽量把有限的医疗资源留给重患者

98 发生泥石流的现象包括：（ ）

Ⓐ 河流突然断流或者水势突然加大
Ⓑ 洪水中夹有较多柴草、树木
Ⓒ 深谷或者沟内传来类似火车的轰鸣或者闷雷般的声音
Ⓓ 沟谷深处突然变得昏暗，还有轻微震动感

99 以下描述正确的是：（ ）

Ⓐ 红色代表优先救治区
Ⓑ 黄色代表延迟救治区
Ⓒ 绿色代表无需救治区
Ⓓ 黑色代表死亡区

第十二篇 紧急心理救护

100 腹式呼吸法是一种控制节律的深度呼吸方法，采用稳定的、缓慢的深吸气和深呼气，达到松弛目的。通常鼻子作（ ）深吸气，最大限度地向外扩张腹部，使腹部鼓起，胸部保持不动。

Ⓐ 15～20秒钟　　Ⓑ 5～10秒钟
Ⓒ 3～5秒钟　　Ⓓ 20～30秒钟

101 肌肉松弛法是通过反复不断地肌肉绷紧、放松训练，将不良情绪释放出来，以缓解心理创伤。练习时每个部位建议每次可用（ ）左右的时间来体会放松感。

Ⓐ 15～20秒钟　　Ⓑ 5～10秒钟
Ⓒ 1～5秒钟　　Ⓓ 20～30秒钟

102 着陆的方法作用原理是把注意力从内心思考转回到外部世界。以下方法不合适的是：（ ）

Ⓐ 说出五个你能看到的让人难过的物体
Ⓑ 说出五个你能听到的不让人悲伤的声音
Ⓒ 说出五个你能感觉到的不让人悲伤的事情
Ⓓ 说出五个你能看到的让人不难过的物体

103 人们在面对突发急症、意外伤害或者遇到灾害时，除了身体伤痛外，还会有不同程度的心理伤害，这些伤害包括：（ ）

Ⓐ 生理反应　　Ⓑ 情绪反应
Ⓒ 行为反应　　Ⓓ 自身反应

104 在施救时，施救者也会有生理和心理反应，出现心跳加速、呼吸急促、情绪紧张，以及震撼、恐惧、悲伤、自豪感、不可控感、创伤后应激反应等。施救者要学会的自我放松的方式包括：（ ）

A 保持良好的心态，争取获得良好的休息和饮食

B 正确的情绪引导。加强与亲友、同行、队友之间的沟通，可以获得心理归属与情感寄托

C 交换心得、保持信心

D 巩固基础、勤练技能